Crisis de verano

Dirección de arte: Trini Vergara
Diseño: Daniela Coduto sobre maqueta de María Inés Linares
Ilustraciones: Muriel Frega
Traducción: Nora Escoms
Colaboración editorial: Silvina Poch - Angélica Aguirre

Esta traducción de *Midsummer Meltdown*, de Cathy Hopkins, publicada por primera vez en el Reino Unido en 2005, es editada mediante un acuerdo con Piccadilly Press Limited, Londres, Inglaterra.

www.libroregalo.com

Argentina: Demaría 4412 (C1425AEB), Buenos Aires
Tel./Fax: (54-11) 4778-9444 y rotativas • e-mail: editoras@libroregalo.com

México: Av. Tamaulipas 145, Colonia Hipódromo Condesa,
Delegación Cuauhtémoc, México D. F. (C.P. 06170)
Tel./Fax: (5255) 5220-6620/6621 • 01800-543-4995
e-mail: editoras@vergarariba.com.mx

ISBN 978-987-612-123-1

Impreso en Argentina por Latingráfica. Printed in Argentina

Hopkins, Cathy
Crisis de verano. - 1a ed. - Ciudad Autónoma de Buenos Aires : V&R, 2008.
148 p.; 21 x 14 cm.

Traducido por: Nora Escoms
ISBN 978-987-612-123-1

1. Literatura Juvenil Inglesa. I. Escoms, Nora, trad. II. Título
CDD 823.928 3

CATHY HOPKINS

Crisis de verano

1
Secretos y mentiras

Zoom entrecerró los ojos y me observó con atención, como si intentara leerme la mente.

–Tú te traes algo, Lia Axford –dijo, al cabo de un rato–. Hay algo que no nos estás diciendo.

Cat, Becca y Mac apartaron la vista del DVD de terror que estábamos mirando y clavaron sus ojos en mí como Zoom.

–Tonterías –respondí–. No pasa nada.

Traté de decirlo mirándolo a los ojos, pero era difícil porque él estaba en lo cierto. Sí pasaba algo. O pasaría en poco tiempo más. El siguiente fin de semana, para mayor exactitud. Pero no podía decir nada a nadie. Aún no. Papá me había hecho prometérselo.

–¿Cómo? –preguntó Becca mientras se llevaba a la boca una patata frita–. ¿Pasa algo?

Crucé los brazos sobre mi vientre y crucé las piernas.

–Sí. Una película –respondí, volviendo a mirar hacia la pantalla del televisor–. Y nos la estamos perdiendo.

–Epa –dijo Mac–. Miren el lenguaje corporal de Lia. La delata por completo. Se ha cerrado. La semana pasada vi un programa de televisión donde hablaban de eso. El cuerpo dice lo que la boca calla.

Rápidamente descrucé los brazos y las piernas.

–Lo único que mi cuerpo está diciendo es que no me gusta esta peli. No me gustan las películas de miedo, pero ustedes insisten, sé que les gustan. ¿Alguien quiere tomar algo? ¿Más patatas?

Me puse de pie para salir de la habitación pero Zoom se lanzó al piso y me atrapó por el tobillo derecho.

–No queremos seguir mirando la película hasta que nos digas qué pasa –insistió, y casi me hizo caer–. Sé que pasa algo, y recuerda que, lenguaje corporal o no, yo puedo ir más allá de eso. Pueeeeedoooo leeeeer tu meeeenteeeeee.

Sentí que me ruborizaba porque, apenas un momento antes, cuando él me miraba fijamente, yo estaba pensando que, si tan sólo pudiera deshacerme de los demás, podríamos tener una buena sesión de besos en lugar de asustarnos con una estúpida película de miedo. Cat, Becca y Mac serán mis mejores amigos aquí en Cornwall, pero Zoom es más que un amigo. Es mi novio, y quizá sea el chico más romántico del mundo, pero hacía muchísimo que no estábamos a solas. No le había dicho nada porque no quería parecer demasiado exigente ni resultarle pesada. En una de las revistas de Becca, había leído que a los chicos no les gusta eso y que es mejor darles más espacio; además, él parecía estar disfrutando la película. Mi hermano Ollie nos la había dejado para que la viéramos la noche anterior, cuando regresó a su escuela en Londres. A él le encantan esas cosas y piensa que lo que a él le gusta debe gustarle a todo el mundo. A mí no, pero los demás me ganaron por mayoría. Morirme de miedo no es mi idea de la diversión. Puedo mirar una película de terror cuando hay otras personas conmigo, pero más tarde me dan mucho miedo. En serio. En mitad de la noche, cuando estoy sola en mi habitación, empiezo a recordar la parte más aterradora de la película. Imagino ojos que me observan en la oscuridad, manos que aparecen en la ventana tratando de entrar, cuerpos sin cabeza flotando en los pasillos, atravesando las paredes y volando sobre mi cama. A veces tengo que taparme la cabeza con las cobijas porque pienso que, si yo no los veo, ellos tampoco pueden verme.

–En realidad, no sabes leer la mente porque no tienes idea de lo que estaba pensando. Y no pasa *nada* –mentí.

Zoom rió.

–Lia, no sabes mentir. Eres la peor mentirosa del mundo.

Mac apretó la tecla de pausa en el control remoto y el DVD se congeló en la pantalla con una chica en pleno grito.

–Bien –dijo–. Desembucha. Si mi amigo dice que nos estás ocultando algo, entonces es así.

Había cuatro pares de ojos clavados en mí. Los de Mac. Los de Becca. Los de Cat. Los de Zoom. Casi como una escena del DVD. Normalmente son todos bien parecidos, pero cuando quieren pueden poner unas caras horribles: unas expresiones que practicaron para el concurso de "¿quién hace la cara más fea?" al que nos gusta jugar de vez en cuando. Cat se pasó los dedos por el pelo corto y oscuro hasta que quedó parado como si acabara de levantarse de la cama, y se puso bizca. Mac se aplastó el pelo rubio y llevó los labios hacia adentro, de modo que parecía que no tenía boca. Becca se echó su cabello rojo anaranjado sobre la cara como una cortina que ocultaba sus rasgos, salvo la lengua, que sobresalía entre el pelo, y Zoom hizo lo mismo que Cat: se levantó el pelo como un loco y luego acomodó los dientes de adelante sobre el labio inferior.

–Basta –les dije–. Dejen de mirarme así. Me están asustando.

Zoom empezó a reír a carcajadas como si estuviera poseído, se puso de pie y empezó a caminar como un zombi de la película. Mac también se levantó, seguido por Becca y Cat, y pronto todos estaban caminando por la habitación como si no tuvieran cerebro. Y venían hacia mí.

Cat, Becca, Mac y Zoom son mis amigos desde que decidí mudarme del internado donde estudiaba en Londres a la escuela local aquí en Cornwall, en septiembre pasado. No es que el internado fuera malo ni que no me agradara Londres, porque sí me gustaba. De hecho, mi hermana Estrella vive allá en Notting Hill, y mi hermano Ollie no estaba lejos, en su escuela de Kensington. Lo cierto era que echaba de menos a mis padres y extrañaba vivir en casa. Tenía la sensación de estar siempre viajando. Tardaba cuarenta minutos en llegar desde mi escuela hasta la estación Paddington, tres horas desde Paddington hasta Plymouth, y de allí cuarenta minutos en auto hasta donde vivimos. En realidad, la manera más rápida de llegar es en helicóptero y a veces papá alquila uno, porque tenemos un helipuerto aquí, detrás de las caballerizas, en el fondo de la casa. Pero lo más común era que tomara el tren los viernes por la tarde o sábados por la mañana, y luego tenía que volver a partir el domingo a media tarde para llegar a tiempo para ir a la escuela el lunes.

Ahora soy mucho más feliz. Tengo una vida más normal; al menos, tan normal como puede serlo para la familia Axford. Mi papá es la estrella de rock Zac Axford. Era famoso en los años ochenta y aún tiene muchos seguidores, aunque Ollie y yo le decimos, en broma, que ahora que pasó los cuarenta años pertenece más bien a la categoría de veteranos del rock. Mi mamá es/era Carly Newman, modelo top en los Estados Unidos hasta que se casó con papá y abandonó la carrera para ser madre. Mi hermana es Estrella Axford, también modelo: sale en la portada de casi todas las revistas del momento. Mi hermano Ollie aún está en la escuela, pero sin duda va a dedicarse a algo fabuloso y ya está encaminado en esa dirección. Hizo el papel de Romeo el año pasado en la producción de *Romeo y Julieta* de su escuela y no cabe duda de que tiene carisma, y lo sabe muy bien. Hasta yo me doy cuenta de que es como un imán para las chicas. Y luego estoy yo. La gente dice que soy la más callada de la familia, pero a veces pienso que en realidad quieren decir que soy la más común y corriente. Si no fuera porque tengo el cabello de mamá (rubio), el pecho plano como ella (todas las chicas Axford tienen senos pequeños) y los ojos de papá (azul-plateados), yo diría que pertenezco a otra familia. Me dicen que soy bonita pero yo no lo creo. Tengo el cuello demasiado largo, soy muy delgada, ¡y en los días malos parezco un pato! No tengo ningún talento musical extraordinario como papá. No sé actuar como Ollie y no me agrada ser el centro de atención como a Estrella. Ni siquiera sé qué quiero hacer cuando termine la escuela. Tal vez ser veterinaria, pero no estoy segura. Eso empieza a preocuparme, porque este año tuvimos que elegir materias para el año próximo, cuando pasemos a décimo año, y no estoy segura de haber elegido las más indicadas.

–Dinos la verdad o te convertirás en zombi como nosotros –amenazó Zoom con voz grave.

–Nunca –respondí–. Mis secretos morirán conmigo.

Mac se acercó al sofá donde yo había caído cuando Zoom me aferró el tobillo.

–Vas a contarme todos esos secretos, muchachita –dijo, imitando una escena de la película–. O tendremos que mataaaarte de una manera muy desagradable...

–Sí –dijo Cat, señalando el sofá con un gesto–. Preparen sus armas.

Eso es lo malo de haber entrado a un grupo como éste, en el que todos se conocen desde hace tiempo. Se comunican por telepatía, y basta un gesto para que todos sepan lo que están pensando. Cada uno tomó un almohadón del respaldo del sofá y lo levantó para amedrentarme.

–Están todos locos –dije–. Y no van a lograr que les diga nada por la fuerza.

–Ah. Entonces *sí* hay algo –dijo Zoom, levantando su almohadón.

–No, yo no dije eso.

–Sí lo hiciste –insistió Zoom–. ¿No es cierto, chicos?

Los demás asintieron y cerraron más el círculo a mi alrededor.

–De acuerdo. Está bien. Quizás haya algo, pero no es nada malo.

–Lo sabía –dijo Zoom–. Cuéntanos o eres hombre muerto... digo, mujer...

Meneé la cabeza. Zoom hizo una seña a los demás y todos se lanzaron sobre mí a la vez. En un segundo, me habían bajado al suelo y me estaban aplastando con los almohadones. Logré soltarme, tomé mi propio almohadón y empecé a defenderme.

–¡*Ai ya!* –exclamé, al tiempo que me ponía de pie y adoptaba mi mejor pose de guerrero ninja–. No se acerquen porque soy cinturón amarillo.

Frente a mí, Mac se puso en posición de kung fu.

–Y yo soy cinturón marrón.

Becca y Cat se levantaron e hicieron lo propio.

–Y nosotras somos... ¿qué somos? –preguntó Cat.

–Cinturones verdes –respondió Becca, riendo–. ¿O eso significa otra cosa?

–Olvídenlo –repuso Zoom, al tiempo que se lanzaba a mis piernas–. Yo sé cómo hacerla hablar. Tómenle los pies. Háganle cosquillas. No lo soporta.

Volvieron a la carga y no tuve manera de defenderme de los cuatro a la vez. Cat, Becca y Zoom me inmovilizaron mientras Mac me quitaba los calcetines y empezaba a hacerme cosquillas en los pies. Era insoportable.

–¡Aaaayyyyyy, déjeeeeeeeeenmeeeeeee! –dije, gritando y riendo al mismo tiempo.

Segundos más tarde, se abrió la puerta y apareció papá.

–Oigan, ¿qué es todo este alboroto? –preguntó, mirando los almohadones desparramados, las patatas esparcidas por todos lados y los cuerpos retorciéndose en el suelo delante de él–. Parece que estuvieran asesinando a alguien.

Zoom y Mac me soltaron inmediatamente y se sentaron sobre sus talones, con cara de avergonzados. Becca miró por la ventana como si hubiera visto algo fascinante y Cat trató de hacerse invisible.

–No, nada, papá. Sólo estábamos jugando –respondí.

–Entonces, ¿pueden bajar un poco el volumen? –pidió–. Desde la cocina, parecen un montón de fanáticos de fútbol cuyo equipo acaba de perder el partido. Y ustedes, Mac y Zoom, deberían dar el ejemplo ya que tienen dieciséis años.

–Sí, Sr. Axford –dijo Zoom.

–Lo siento, Sr. Axford –dijo Mac.

Papá puso los ojos en blanco.

–Llámenme Zac. Si me dicen Sr. Axford, parece que fuera un anciano.

Me dio mucha risa verlos a todos tan avergonzados.

A veces pienso que papá intimida a mis amigos, y no porque sea demasiado estricto o aterrador. En realidad, es muy bueno. Creo que es porque es tan famoso.

–Y ¿qué es tan gracioso, Lia? –me preguntó papá–. Y ¿por qué hay patatas fritas por toda la alfombra?

–Zoom piensa que estoy ocultándoles algo –respondí, sabiendo que él entendería mi dilema–. Y decidió sacarme la información por la fuerza.

Papá se volvió a mirar a Zoom, quien a esta altura tenía cara de desear que la alfombra se abriera y lo tragara.

–Conque eso hizo, ¿eh?

–No era en serio. Yo no le haría daño –se defendió Zoom.

–Y ¿así tratas a todas las chicas que deciden no contarte algo? –bromeó papá, con lo cual Zoom se movió, incómodo, y se sonrojó furiosamente como Mac.

–Eh… no, claro que no... –balbuceó.

Papá se volvió hacia mí.

–Y ¿le dijiste lo que quería saber?

–De ninguna manera –respondí, e hice un gesto de sellarme los labios.

Papá me guiñó un ojo.

–Así me gusta. –Luego se volvió hacia los demás–. No se preocupen. Pronto se enterarán de las novedades.

Y dicho eso, salió de la habitación.

–Entonces *sí* hay algo –dijo Zoom. ¿Por qué no puedes decirnos nada?

–Porque se lo prometí a papá –respondí–. Es un secreto.

–¿Tu mamá está embarazada? –preguntó Cat.

–Por favor –respondí–. Ni lo digas. Pero no, no es eso.

Zoom puso cara de preocupación.

–Ey, no irás a mudarte, ¿verdad?

Le tomé la mano y se la apreté con afecto.

–No. No vamos a mudarnos.

–¿Vas a cambiar de escuela otra vez? –preguntó. Volví a menear la cabeza.

–Divorcio –dijo Mac–. Tu mamá tiene una aventura con el lechero.

–Nooo –dije.

–¿Tu papá tiene una aventura con el lechero? –preguntó Zoom.

–*Nooooo* –respondí, riendo–. Y no voy a decirles nada. Cambiemos de tema.

–Sí –dijo Cat–. Déjenla en paz. Si no quiere decirlo, que no lo diga. Pero yo quería preguntarles algo. El otro fin de semana es la fiesta de verano en la casa del vicario en Cawsand. Ya sé, ya sé... aburrido, pero podría ser divertido si vamos todos. Papá me pidió que fuera para vender los pasteles de las damas del pueblo, pero ¿quieren venir ustedes también?

–Sí, claro –respondieron Zoom y Becca.

–No estoy seguro –dijo Mac–. Tengo que ver cómo estaremos con los huéspedes.

La mamá de Mac tiene una casa de huéspedes elegante y a menudo tiene gente los fines de semana ahora que el tiempo está mejorando. Le gusta que Mac esté cerca para hacer mandados y ayudarla, pues es el único hombre de la casa desde que sus padres se divorciaron.

–¿Lia? –preguntó.

–Eh... –No podía responder sin revelar la noticia. Ése era el fin de semana que papá había elegido para su sorpresa–. Tal vez esté ocupada.

–¿Haciendo qué? –preguntó Zoom.

–No puedo decirlo.

Zoom hizo como si fuera a estrangularme y, justo cuando tenía las manos sobre mi garganta, volvió a entrar papá y lo vio. Miró a Zoom con aire curioso mientras buscaba sus anteojos, y Zoom retiró las manos y se sentó sobre ellas, otra vez con cara de avergonzado. Yo no podía parar de reír.

Cuando papá volvió a salir, Zoom suspiró profundamente.

–Va a pensar que soy el asesino del hacha o algo así –dijo, y luego se le iluminó la cara–. Ya sé cómo podemos sacártelo sin estrangularte, Lia. Verdad, consecuencia, beso o promesa.

–No –dijo Mac–. Otra vez con eso, no. Pensé que ya habíamos terminado.

–Sí –dijo Becca–. Nos ha metido en todo tipo de problemas. –Luego sonrió–. Entonces, sin opciones: sólo la verdad, Lia. Tienes que decirnos la verdad. –Empezó a contar con los dedos–. Pista número uno. Hay un misterio. Pista número dos. Pasa algo que no puedes decirnos pero tu papá lo sabe. Pista número tres. Posiblemente suceda el otro fin de semana. ¿Hhhmmmm? Ya lo sé. Fácil. Tu mamá va a dar una de sus fiestas. Es eso, ¿no? Ella es de Géminis. Cumple años en junio. Lo recuerdo. ¿Podemos venir? Me encantan las fiestas de tu mamá.

Becca no estaba lejos de adivinar la verdad, pues en general, a mi mamá nada le gusta más que hacer una fiesta. Cuanto más grande, mejor. Navidad. Cumpleaños. Día de San Valentín. Cualquier excusa es buena. Elige todo tipo de temas y no escatima gastos. Y era verdad que se acercaba su cumpleaños. Cumpliría cuarenta años. Pero había estado un poco rara al respecto, y decía que no quería festejos. Nada de celebrar a lo grande. "Es la crisis de la mediana edad", había dicho Ollie a modo de explicación. Todos tratamos de convencerla de hacer algo, pero se mantenía firme en que quería "pasarlo de la manera más tranquila posible".

A medida que se acercaba la fecha, papá empezó a preocuparse.

–No está bien. Yo conozco a las mujeres. Conozco a tu madre. Por más que diga que lo olvidemos, cuando llegue el día, querrá festejarlo con todo. Será mejor que organicemos algo, ¡y que sea rápido!

Hubo montones de ideas. Un fin de semana en un "spa". Una joya exquisita. Un reloj. Un auto nuevo. Ropa. Pero ella ya tenía todo eso.

Al final, el plan que resultó más atractivo fue reservar un hotel en algún lugar fabuloso e invitar a un grupo de amigos para que fueran con todos los gastos cubiertos por papá. Y yo iba a poder invitar a mis amigos, con todos los gastos pagados. Mamá no debía enterarse de nada. Papá le diría que había acatado su pedido de hacer algo pequeño y que irían a alguna parte, los dos solos. Ella nunca lo adivinaría, y luego ¡sorpresa! Cuando llegara al hotel, allí estarían esperándola su familia y algunos amigos.

Ése era el secreto pero, como todo se había decidido a último momento, papá quería estar seguro de contar con los vuelos y las reservas de hotel antes de que yo les dijera nada a Cat, Becca, Mac y Zoom. Había investigado todo tipo de sitios pero algunos no tenían lugar para tantas personas con tan poca anticipación. Yo me moría por contárselo a mis amigos, pero papá me había hecho jurar que no diría nada hasta que fuera cosa segura, pues no quería que nadie se entusiasmara en vano, y además no quería que el secreto se filtrara y llegara a oídos de mamá. Yo estaba ansiosa por contárselo a todos. Un par de días en un lugar fabuloso, no sólo con mis amigos sino con Zoom. Mi hermoso y querido Zoom. Entonces sí podría estar a solas con él. Iba a ser fantástico. Y muy romántico.

–Entonces, ¿es una fiesta? –volvió a preguntar Becca.

–Tal vez sí, tal vez no –respondí–. Se los diré apenas pueda. La verdad, toda la verdad y nada más que la verdad. Pero aún no. Tienen que darme un par de días más.

–Puaj –dijo Cat–. Detesto los secretos. Mi imaginación se acelera al máximo.

–La mía también –dijo Becca–. Pero no creo que vaya a decírnoslo.

Mac apretó "reproducción" en el control remoto y volvimos a mirar cómo les arrancaban la cabeza a los héroes adolescentes en la pantalla. Al menos Zoom me rodeó con su brazo y me acercó a él.

Cuando terminó la película, él se quedó un rato más y al fin pudimos tener nuestra sesión de besos.

–Y no creas que voy a rendirme y a contarte todo sólo porque besas tan bien –le dije, cuando nos separamos para recuperar el aliento.

–Ah... –rezongó–. Y yo que esperaba que mi cambio de táctica diera resultado.

Iba a explicarle otra vez que no podía decirle nada, pero él meneó la cabeza.

–Era una broma –dijo–. Dímelo cuando puedas. Sólo una cosa más. Eso de verdad, consecuencia, beso o promesa. Es importante, ¿sí? Sé que necesitas unos días hasta que puedas contarnos el secreto de tu papá, pero con nosotros, entre nosotros, la verdad. Es importante, ¿sí?

Asentí.

–Sí.

–Entonces, prometamos decirnos siempre la verdad. Aunque duela.

–Sí. Sin duda –respondí–. Pero yo nunca tendría para decirte nada que te lastimara.

–Eso espero –respondió Zoom, y volvió a hacer su voz cavernosa de zombi–. Porque en ese caso realmente tendría que mataaaaaaarteeeee.

2
¿Vieja o bella?

–¿Has visto a papá? –pregunté a mamá ese mismo día, después de que Zoom se fue.

Mamá señaló por la ventana de la cocina hacia el estudio de música que papá tenía junto al lago, detrás de los establos.

–Allá abajo, creo.

–Gracias –respondí, y me encaminé hacia la puerta del fondo.

–¿Ustedes dos están tramando algo? –me preguntó mamá.

–¿Yo? ¿Papá? –pregunté a la vez, poniendo mi cara más inocente–. ¿Como qué?

–Como organizar una fiesta sorpresa para mí –respondió mamá–. Ya les dije que no quiero fiesta.

Fui y me senté en el desayunador donde ella estaba moliendo semillas en un mortero. Detrás de ella, en otra mesa, nuestra ama de llaves, Meena, preparaba verduras para la cena.

–¿Qué estás haciendo? –le pregunté.

–Estoy moliendo semillas de hinojo y cilantro para ponerlas en una marinada –respondió–. Meena está preparando patatas. Y no cambies de tema.

Reí.

–No estaba cambiando de tema. Es que no hay nada que decir. Papá y yo no estamos tramando nada y tenemos bien claro que no quieres una fiesta.

–Está bien, entonces. ¿Para qué lo buscas?

–Bueno... para que me ayude con la tarea de la escuela –mentí.

–Yo también puedo ayudarte.

–Es algo de matemáticas. Él sabe más que tú de eso.

–No es cierto. Es malísimo para las cuentas. Están tramando algo, ¿verdad?

¿Es que todo el mundo puede leerme la mente?, me pregunté mirando al suelo por si ella podía leer mis pensamientos como Zoom.

–¿Por qué no quieres festejar, mamá? –le pregunté–. Normalmente te gusta hacerlo.

–Bueno, en primer lugar, ya tenemos una celebración planeada para fines de junio, la fiesta del verano. Me parece una locura hacer una fiesta tan cerca de la otra.

–Pero esa es para una de tus actividades de caridad. Ésta sería para ti. Para festejar.

–¿Qué cosa? ¿Que cumplo los cuarenta? ¿Qué hay que festejar?

–Pero te ves excelente para tu edad.

Esta vez no estaba mintiendo. Sabía que mi mamá era la más atractiva de la zona. Tiene pómulos muy buenos y una piel perfecta, el cabello sedoso hasta los hombros y, aun sin maquillaje, se la ve bella.

–Excelente "para mi edad" –repitió mamá–. Qué feo suena eso. –Dejó de moler semillas por un momento–. En realidad, no sé por qué no quiero una fiesta. No la quiero; prefiero olvidarme de todo el asunto. Es extraño, cumplir cuarenta. No lo siento. Por dentro me siento como si tuviera dieciocho, pero luego me miro al espejo y veo esta cara vieja mirándome...

–Mentira. No tienes una cara vieja.

–Sí la tengo, y va a ponerse más vieja aún. Cuarenta. Cuarenta y cinco, cincuenta...

–Pero dicen que la vida empieza a los cuarenta –le recordé.

Mamá sonrió.

–Sí. Puede ser. Sí. Tal vez sí empiece, pero eso no significa que tenga que anunciarle al mundo entero que ya soy una mujer de mediana edad.

–Nunca. No lo pareces –respondí–. Y, de todos modos, la mediana edad es cuestión de actitud.

Mamá volvió a reír.

–¡De actitud! ¿De dónde sacaste eso?

–Lo leí en una de tus revistas –respondí–. Y creo que tienen razón. A cualquier edad, una tiene una elección. Puede lucir vieja o bella. Tú decides. Y tú te ves muy bella. Con tantos jugos frescos y tanta comida orgánica, tienes una piel fantástica. Haces ejercicios. Te cuidas. Yo creo que aparentas unos veintiocho años.

Mamá rodeó la barra del desayunador y vino a darme un beso ligero en la frente.

–Querida Lia. Dices todas las cosas indicadas.

Le sonreí y volví a ponerme de pie para salir por la puerta trasera mientras ella regresaba a sus preparativos para la cena.

–Pero aun así no quiero sorpresas –me recordó, cuando llegué a la puerta.

–Ya no estoy segura de que esto sea una buena idea –le dije a papá cuando lo encontré, cinco minutos más tarde. Estaba en su estudio con nuestros dos setters irlandeses, Max y Molly, que dormían bajo su escritorio–. Mamá realmente no quiere que hagamos nada.

–Pero ¿qué alternativa tenemos? –preguntó papá–. Si hacemos lo que ella pide, cuando llegue el día se sentirá decepcionada. No. Conozco a las mujeres y conozco a tu mamá. Lo aprendí hace mucho tiempo. Era nuestro primer Día de San Valentín. Por favor, me dijo, no me compres nada, es todo una cuestión comercial. Los únicos que se benefician en realidad son los comerciantes que venden las tarjetas y la mercadería. Yo tomé sus palabras al pie de la letra. No le envié una tarjeta. No le hice ningún regalo. Estuvo todo el día malhumorada. Sólo volvió a sonreír cuando fui y le compré unas flores y una caja de bombones roja en forma de corazón. Por eso ahora sé que cuando ella dice "No quiero fiesta", en realidad lo que quiere decir es: "Quiero la fiesta más grande y fantástica de toda la historia de la humanidad."

Reí. Quizás él tenía razón. Recuerdo que cuando Zoom cumplió dieciséis años, justo antes de Pascua, les dijo lo mismo a sus padres. No me hagan nada (aunque en su caso era porque sabía que no les sobraba el dinero). Pero le hicieron una fiesta sorpresa y lo mimaron mucho, y él estaba felicísimo. Más tarde me dijo que antes de la fiesta, cuando pensaba que todos le habían hecho caso, se había sentido decepcionado y creía que nadie lo quería. Yo no quiero que mamá sienta eso. Ni por un momento.

–Creo que tienes razón, papá. A veces la gente dice todo lo contrario de lo que quiere decir. Y los cuarenta son una fecha importante, ¿no?

–Dieciséis. Veintiuno. Treinta. Cuarenta. Cincuenta. Todos son importantes. Nuevos capítulos. Y yo digo que hay que festejarlos. Es el hecho de haber llegado hasta allí. Y que estén presentes todas las personas que se alegran de que así sea y te ayuden a disfrutar el día.

–Entonces, ¿qué tenemos hasta ahora? –le pregunté.

Papá separó las palmas de las manos como para indicar todos los folletos que tenía sobre el escritorio. Venecia, Florencia, París, Roma, los lagos italianos, el sur de Francia, Escocia.

–Susie se está ocupando en Londres, pero creo que tendremos que reducir un poco las opciones –dijo.

Susie es la asistente de papá y es absolutamente genial. Se ocupa de todos los arreglos para sus giras, reservas de hoteles, vuelos y todo eso.

Tomé un par de folletos y me dejé caer sobre el sofá que está junto al ventanal.

–¿Dónde, entonces? ¿Estados Unidos? ¿La Florida? Lo pasamos bien allá hace un par de años, ¿no? ¿O tal vez podríamos volver a Nueva York?

–Allá hay demasiados parientes a los que ella preferiría evitar –respondió papá con una mueca–. No. Yo pienso en algo más exótico.

Ojeé un folleto que mostraba mares turquesas y cielos azules.

–¿El lejano oriente?

Papá se levantó de su escritorio y fue hasta el enorme refrigerador que había en un rincón.

–Podría ser demasiado lejos para algunos. Se tarda hasta once horas en llegar a algunos lugares. ¿Quieres jugo?

–Sí, gracias. ¿Adónde, entonces?

Papá sacó un par de cartones pequeños de jugo y me arrojó uno.

–Nos hemos retrasado un poco, así que deberá ser donde puedan recibirnos a todos con tan poca anticipación. Susie está averiguando disponibilidades.

–¿Cuántos somos hasta ahora?

Papá echó un vistazo a su lista.

–Unos veinticinco. Ustedes son cinco –prosiguió–; es decir, si Mac, Zoom, Cat y Becca pueden venir...

–Seguro que sí, cuando se enteren, pero creo que vamos a tener que decírselos pronto. Cat ya está haciendo planes e incluyendo a los demás para ese fin de semana de junio. Es la fiesta del pueblo en Cawsand.

Papá se pasó los dedos por el mentón.

–Ah, ¿sí? Bien. Sí. Está bien. Avísales lo que pasa pero que te juren guardar el secreto. No quiero que tu mamá se entere del plan cuando esté en el pueblo.

–De acuerdo. ¿Quién más?

Papá volvió a mirar su lista.

–Estrella, por supuesto. Traerá a sus amigos Rhiannon y George.

Excelente, pensé. Ambos me caían bien, y también a mamá. Rhiannon era la amiga más antigua de Estrella y ya era como de la familia, y George era un estilista que trabajaba en muchas de las sesiones fotográficas de Estrella. Era divertidísimo. Estrella siempre decía que era el hombre perfecto, por lo cual era una pena que fuera gay.

–Los abuelos Newman optaron por no venir. Ya no les gusta tanto volar. La abuela Axford vendrá según el lugar que elijamos. Dice que no piensa ir a ninguna parte para donde tenga que vacunarse. Tu tía Cydney va a acompañarnos, además de unos diez amigos íntimos y quienes vengan con Ollie.

–Y ¿a quién quiere traer Ollie?

–Hasta ahora, mencionó a Henry Lynch, Jamie Parker y Michael Bradley.

Estuve a punto de escupir la bebida.

–¿Michael Bradley? ¿Por qué tiene que traerlo a él?

–Porque siempre ha sido su mejor amigo, ya lo sabes. ¿Por qué? ¿Hay algún problema?

–Oh, no, nada –balbuceé, tratando de recuperarme lo más rápidamente posible.

¡Michael Bradley! Qué mala noticia. Era nada menos que el chico del que había estado enamorada desde que había dejado los pañales, pero él nunca me había prestado atención. Al menos, no cuando era pequeña. Siempre fui la hermanita de Ollie. La pequeña Lia. El año pasado, vino aquí con Ollie y yo me entusiasmé mucho (esto fue antes de Zoom) y supuse que al menos notaría que había crecido. Y así fue, creo. Por un momento pensé que todas mis fantasías estaban a punto de hacerse realidad, hasta que me presentó a su novia, Usha. Es una chica india bellísima y, hasta donde yo sabía, seguían juntos.

–Pero ¿Michael no querrá traer a Usha? –pregunté.

Papá meneó la cabeza.

–No necesariamente. La fiesta es para tu mamá, no para Ollie. No podemos llevar a todo el mundo y, después de todo, es sólo un fin de semana largo. Si invitáramos a todos, la lista sería larguísima.

–¿Por qué Ollie no trae a una de sus muchas novias en lugar de Michael? –insistí.

–Dudo que Cat disfrutara mucho el viaje si así fuera –respondió papá, y luego sonrió–. No es necesario que me mires así. Sé bien lo que pasa. Y sé que a Ollie le agrada ver a Cat cuando viene aquí.

–Creo que últimamente están más alejados –repuse. No conté a papá todos los detalles pero, a comienzos de mayo, Ollie conoció a una chica en Londres y la trajo aquí en las últimas vacaciones escolares. Creo que no podía decidirse entre ella y Cat y quería dejar pasar el tiempo para ver qué ocurría. Lamentablemente para él, le salió el tiro por la culata, pero eso es otra historia.

–Ah, ¿sí? ¿Por qué? –preguntó papá.

Me encogí de hombros.

–Ya conoces a Ollie. Tiene fobia al compromiso. No creo que sepa lo que quiere. De todos modos, sigo sin entender por qué tiene que traer a Michael...

–¿Pasó algo entre tú y Michael que no me hayas dicho? –preguntó papá–. ¿Acaso hizo algo que te molestó?

–No. No. Nada.

Papá me miraba fijo. ¡Aaayyy, pensé, otro que trataba de leerme la mente!

–Vamos, habla –me dijo.

–No hay nada que contar –respondí.

Papá rió.

–Te conozco demasiado. Y no sabes mentir.

–Es lo que me dijo Zoom.

–Zoom tiene razón. Entonces, ¿ese Michael hizo algo que te haya molestado? No te preocupes. Si no quieres decírmelo, simplemente le diré a Ollie que no puede traer a Michael y ya.

–Dios mío, *noooooo* –respondí–. No hagas eso. Sólo agrandaría las cosas y entonces Ollie se metería, y justamente él no debía enterarse de mi enamoramiento.

Decidí contarle a papá pues sabía que podía confiar en él.

–De acuerdo. Sólo entre tú y yo. No es gran cosa. Estuve loca por él un tiempo. Fue una locura pasajera. Pero no. Ya se me pasó. Que venga Michael, y por favooor no le menciones esto nunca, jamás, a Ollie. Todo estará bien. Yo estaré bien. Ahora estoy con Zoom y, de todos modos, Michael sigue con Usha.

Papá sonrió.

–No diré nada. Primer amor, ¿eh?

–Sí. Una locura, en realidad.

Papá quedó pensativo un momento.

–En realidad, no es difícil imaginarlos a ti y a Michael juntos. Es un buen chico. Sí. ¿Quieres que les arregle un matrimonio para cuando seas mayor?

–¡Papáááá!

–Era una broma. Pero sí me cae bien Michael. Es muy inteligente.

–¡Mejor cambiamos de tema ahora mismo! ¿Quién fue tu primer amor? –le pregunté.

–¿De verdad?

Asentí.

–Tu mamá. De veras. Tuve otras novias antes. Chicas que me gustaban, incluso pensaba que las quería, pero... Aún recuerdo aquella primera vez que vi a tu madre. Me dejó loco.

Yo había oído esa anécdota miles de veces pero aún me encantaba oírla. A papá se le iluminaba la cara siempre que la contaba.

–¿Dónde fue?

Papá se dio una palmada en la frente.

–¡Claro, eso es! Allá deberíamos ir...

–¿Qué? ¿Adónde?

–¡A Marruecos! Es obvio. Donde la vi por primera vez. Ella estaba de vacaciones con su madre y se alojaban en un palacio transformado en hotel en la medina, la parte vieja de la ciudad. Muy fuera de mi alcance por entonces. Yo apenas estaba empezando. Era un don nadie. Un músico. Sin dinero y canturreando con mi amigo Barry. De puro rebeldes, Barry y yo decidimos gastar nuestras últimas monedas en una cerveza en aquel sitio elegante. Estábamos en la barra cuando entró tu madre. Pura clase. Toda vestida de blanco. Era el retrato vivo de Grace Kelly.

–¿Grace Kelly?

Papá sonrió.

–Gran estrella de cine. Fue princesa de Mónaco y murió trágicamente en un accidente automovilístico.

–Ah, ya sé –respondí–. Creo que he visto fotos de su familia en la revista *¡Hola!* La Princesa Carolina de Mónaco. Es su hija, ¿no?

Papá asintió.

–Así es. Pero, *sí*, Marruecos. ¿Cómo no se me ocurrió antes? Será perfecto. El clima estará estupendo a esta altura del año. Son apenas unas tres horas de avión. Y... ¡sí! Quizás podamos conseguir el lugar donde ella estaba alojada. Donde nos conocimos. ¿Qué te parece?

–Excelente plan. Sería genial. Me parece muy buena idea, papá –respondí, y luego le sonreí–. Eres casi tan romántico como Zoom.

Pero papá no oyó la última parte. Ya había tomado el teléfono y estaba pidiendo a Susie que averiguara detalles del hotel en Marrakech.

–¿Quieres echar un vistazo? –me preguntó unos minutos después, cuando terminó la llamada–. Puedo encontrar el hotel en internet. Riad Rhoul, no es el más grande pero sí uno de los mejores.

Pulsó algunas letras en su teclado y poco después apareció un sitio en pantalla.

–Vaya –dije, cuando se abrió la galería de imágenes y aparecieron las fotos más fabulosamente exóticas. Fuentes con azulejos entre árboles y flores tropicales. Una piscina turquesa rodeada de arbustos y tumbonas. Asientos con almohadones empotrados contra paredes de azulejos. Espléndidos balcones donde se veían cortinas de muselina flotando con la brisa. Faroles coloridos sobre las terrazas. Y los dormitorios parecían sacados de *Las mil y una noches*. Paredes de un rojo profundo, camas cubiertas de seda y almohadas doradas.

–Esto le va a encantar –dijo papá, justo cuando sonó su teléfono–. No sé por qué no se me ocurrió antes.

Atendió y escuchó a quien estaba al otro extremo de la línea. Cuando colgó el auricular, me hizo una seña con el pulgar levantado y me dirigió una amplia sonrisa.

–Susie se está ocupando y creo que tendremos suerte. Lo encontró. Aparentemente ahora se usa más que nada para ocasiones como ésta. Fiestas privadas. Bodas, cumpleaños y esas cosas, pero es posible que tengan lugar para al menos una o dos noches el fin de semana que queremos. Cruza los dedos. Susie lo buscó en internet y todo parece estar en orden, pero necesita llamar a las oficinas por la mañana, cuando abran. Entonces creo que es hora de que avises a tus amigos que reserven la fecha.

Marruecos. Marrakech. A Zoom le iba a encantar.

3
Malas noticias

Corrí a la casa y subí a mi habitación, donde podría hacer mis llamadas en privado. Por supuesto, quería darle la noticia a Zoom primero, pero no estaba en su casa y tenía el estúpido teléfono celular en contestador. Grrrrrr. Qué frustración. Estaba tan entusiasmada que iba a explotar si no se lo contaba a alguien pronto.

Le dejé un mensaje para que me llamara *con urgencia.*

¿Dónde estaba?, me pregunté. Quería oír su reacción pues sabía que se pondría contentísimo, y un viaje es justo lo que nos hacía falta en esta etapa de nuestra relación. Últimamente había estado pensando que necesitaba algo para mantener el interés de Zoom en mí. Él no lo sabe, pero en la escuela y en la zona hay muchas chicas que gustan de él y no sólo porque es lindo sino porque es una excelente compañía. Lleno de vida y entusiasmo por lo que acaba de leer o ver o por lo que quiere hacer. Hacía un par de meses que estábamos juntos, desde antes de Pascua, y en parte me preocupaba que Zoom se aburriera una vez que se diera cuenta de lo común y corriente que era yo. Deseé tener un talento único que él pudiera admirar; como Mac, por ejemplo. Es un caricaturista increíble, y él y Zoom se pasan horas hablando de arte. Becca tiene una voz deslumbrante y además escribe canciones (que no son tan buenas) pero a ella y a Zoom les encanta hablar de lo último en música y CDs durante el almuerzo en la escuela. Y Cat es brillante, cálida, divertida y fuerte. Ella y Zoom se conocen desde siempre. Se pasan horas hablando de los chismes locales y de lo que pasa en el pueblo. Y luego está Zoom. Es un chico único. Sus fotografías son muy buenas, igual que las películas que hace con su cámara digital. Cuando termine la escuela, quiere ser director de cine o fotógrafo.

Ojalá yo tuviera algo así. Un talento. Una meta. O que pudiera ser una de esas personas que siempre hacen reír a todos. O que emiten opiniones inteligentes que hacen pensar. Pero no soy así. Yo observo. Escucho. Sé que mi familia es diferente y eso sí es interesante al principio. Pero ¿qué tenía para mantener interesado a Zoom una vez pasada la novedad de salir con una Axford? Por eso, sería genial poder irnos de viaje a alguna parte. No todas las chicas podían ofrecerle eso.

No podía esperar hasta que Zoom respondiera mi llamada. Volví a llamarlo y le dejé un mensaje en su contestador.

–De acuerdo. Éste es el secreto. Papá quiere invitarte a venir con nosotros a Marruecos el otro fin de semana para festejar los cuarenta años de mamá. A Marrakech, si conseguimos el hotel y los vuelos. No puedes decírselo a nadie para que mamá no se entere. Papá corre con todos los gastos, de modo que no te costará nada. Lo único que tienes que hacer es pedir permiso a tus padres y hacerlos jurar que guardarán el secreto. Llámame apenas escuches esto.

La siguiente fue Cat. Emitió un silbido por lo bajo.

–¿A mí? ¿En serio? Vaya. Dios mío. Dios mío. Espero que papá me deje ir. Por favor por favor por favor... Voy a preguntarle ahora mismo. Luego te llamo. Dios mío. Lo más lejos que he ido en mi vida fue a Londres. Así que Marruecos. ¡Vaya! Está bien. Te dejo. Luego te llamo.

Después de Cat, llamé a Becca, que se puso igual de feliz.

–¡Hurra! –chilló al teléfono–. Yo lo sabía. Lo *sabía*. Sabía que tenía algo que ver con el cumpleaños de tu mamá. Te llamo enseguida. Voy a preguntarles a mamá y papá pero seguro que no habrá problema. Y si lo hay, me escapo y me voy con ustedes, porque no pienso perderme esto por nada.

Y el cuarto fue Mac.

–¿A Marruecos? ¿En serio? Pues, claro que sí –respondió–. Cuenta conmigo, ni lo dudes.

Y luego tuve que sentarme a esperar que todos me llamaran para confirmar. Bajé con sigilo, comprobé que mamá estaba en el salón rojo mirando televisión y fui en puntas de pie por el piso de madera del pasillo hasta la biblioteca, donde busqué la sección de viajes. Allí había libros de todas partes del mundo. Arabella, la diseñadora de interiores que mamá contrató cuando compramos la casa, había hecho un trabajo excelente. Era como una biblioteca completa, con secciones separadas: diccionarios, ficción, salud, historia, comidas, jardinería, viajes, y así sucesivamente. Arabella venía de Londres dos veces al año para actualizarla.

Recorrí los estantes hasta que di con los libros que empezaban con M. Malasia, Mombasa, Marruecos. Saqué el libro, busqué los capítulos sobre Marrakech y me senté a leerlos en uno de los sillones junto al hogar. Parecía fascinante. Una ciudad amurallada con los montes Atlas como fondo. Y parecía que el clima sería muy caluroso.

Al cabo de un rato, sonó el teléfono de la casa. Me levanté de un salto y atendí antes de que alguien más pudiera hacerlo.

Era Mac.

–Hola, Lia –dijo, y me di cuenta por esas dos palabras que tenía malas noticias–. No puedo ir.

–¿Por qué no? No te costará nada.

–Por dos palabritas –respondió–. Exámenes finales. Mamá puso el grito en el cielo cuando le sugerí lo de Marruecos y dijo que de ninguna manera, y que ya había tenido mucho tiempo libre últimamente. Lástima.

–¿Le dijiste que ibas a estudiar mientras estuvieras afuera?

–Sí, y se rió. Dijo que ella estuvo en Marruecos y que no hay manera de que pueda estudiar ni un minuto allá, que hay demasiadas cosas para ver. Qué mal, ¿no?

–Sí –concordé–. Una pena.

En el entusiasmo del momento, había olvidado que los muchachos tendrían sus exámenes finales en unas semanas más. En parte, entendía la reacción de la mamá de Mac. Estoy segura de que, si yo sugiriera a mis padres la posibilidad de irme unos días de viaje justo antes de los exámenes más importantes del calendario escolar, tampoco me darían permiso. Sentí que mi entusiasmo se apagaba un poco. Seguramente los padres de Zoom dirían lo mismo.

–¿Has tenido noticias de los demás? –preguntó Mac.

–Aún no. No he podido comunicarme con Zoom pero supongo que sus padres van a decir lo mismo que los tuyos.

–Sí. Los exámenes. Qué mal.

–Sí. Muy mal. Aunque siempre queda la fiesta del verano. A ésa sí puedes venir.

–Sí. Y eso me recuerda algo. Tenemos que estudiar *Sueño de una noche de verano* para los exámenes –dijo Mac–. Mejor la repaso un poco más.

No parecía nada entusiasmado por la fiesta.

Cuando colgué el teléfono, cerré el libro sobre Marrakech y, justo cuando iba a devolverlo al estante, entró mamá.

–¿Quién llamó por teléfono?

–Mac.

–¿Qué quería?

–Nada.

–Nada, ¿eh? Y ¿qué haces tú aquí? –preguntó, echando un vistazo al libro–. Libros de viaje. ¿Para qué estás mirándolos?

–Para un trabajo de la escuela.

–¿Sobre Marruecos?

–No. No… ése se canceló. No, sobre Malasia –respondí, con la esperanza de despistarla.

Iba a sacar del estante el libro sobre Malasia para que ella lo viera cuando volvió a sonar el teléfono. Mamá atendió y luego me pasó el auricular.

–Becca.

Tomé el teléfono y traté de ordenar mentalmente a mamá que saliera de la habitación, pero no parecía tener ninguna prisa por irse.

–Voy –dijo una voz excitada al otro lado de la línea–. ¿Cuándo salimos? ¿De qué aeropuerto? Mi mamá quiere hablar con tu papá y, por supuesto, tienen que tener la aprobación de la escuela. ¿A qué hora volvemos? ¿Dónde nos alojamos? ¿Qué vas a llevar? ¿Cómo estará el tiempo? ¿Cuántos días necesitamos tomarnos en la escuela? ¿Crees que la Sra. Jeffries nos deje faltar?

Tuve ganas de reír ante la sarta ininterrumpida de preguntas de Becca, pero juro que mamá trataba de escuchar mientras simulaba mirar unos libros detrás de mí.

–Sí –respondí–. Lo dejaste aquí.

–¿Eh? ¿Que dejé qué?

–Mañana te lo llevo a la escuela. No te preocupes. No lo olvidaré.

–Ah, ¿no puedes hablar? –preguntó Becca cuando le cayó la ficha.

–Exacto –dije, con un suspiro de alivio.

–¿Tu mamá sigue ahí?

–Parece que sí –respondí, tratando de disimular.

–Luego te llamo. Te llamaré al celular para que ella no pueda escuchar.

–Hasta luego –le dije, y colgué.

–Y ¿qué quería Becca? –preguntó mamá.

–Olvidó un libro aquí.

Mamá asintió pero tenía cara de no creerme una sola palabra.

Y entonces volvió a sonar el teléfono. Una vez más, atendió mamá.

–Cat –anunció, al tiempo que me pasaba el teléfono–. Ustedes estuvieron juntas toda la tarde, cuando volvieron de la escuela. ¿Qué pasa?

–Nada. –Me encogí de hombros y tomé el teléfono–. Hola, Cat.

–Tu mamá sigue ahí, ¿no?

–Sí.

–De acuerdo. Yo hablaré, tú escucha.

–Sí.

–Puedo ir.

–¡Sí! –Eché un vistazo para ver si mamá seguía escuchando pero parecía haber perdido el interés y al cabo de un rato salió de la habitación. Suspiré, aliviada–. Uf. Se fue. Cat, cuánto me alegro. Bec también viene. Así que estaremos todas juntas. Ah, pero Mac no puede venir. Por los exámenes. Su mamá no lo deja.

–Pensé que eso pasaría, porque últimamente estuvo bastante tiempo en Londres, con su papá. Desde entonces, su mamá lo persigue mucho. ¿Y Zoom? ¿Has tenido noticias de él?

–Aún no pero, después de lo de Mac, no tengo muchas esperanzas. Sería terrible que no pudiera venir. No me malentiendas, me encanta que ustedes puedan venir, pero ¿te imaginas, unos días en el lugar más fabuloso de todos, con mi novio?

–Sí. Sería fantástico. Dime… eh... ¿Ollie va a ir? –preguntó Cat.

–Sí. Claro. Pero ¿no era que ya no te interesaba?

–Me interesa y no me interesa –respondió Cat–. Sé cómo es él, pero, bueno, un fin de semana afuera. Podría ser divertido. No tengo expectativas con él. Es decir, no espero ningún compromiso. Pero sí sería una pena que Zoom no pudiera ir. ¿Ollie va a llevar algún amigo?

–Sí. Dios mío… Llevará unos amigos, sí. ¿Y si Zoom no va…?

–¿A qué te refieres?

–Papá dijo que Ollie podía traer a tres de sus amigos.

–Bueno, eso será genial, ¿no? Bec estará encantada. Tendrá nuevos chicos con quienes flirtear. Yo puedo estar con Ollie. Será divertido.

–Los amigos de Ollie son Henry Lynch, Jamie Parker y Michael Bradley.

–¿Michael Bradley? –repitió Cat–. ¡Ah! ¿No es el que...?

–Sí, exactamente. El que tanto me gustaba.

–Pero eso fue hace mucho…

–Sí. Pero no importa. No sé cómo será estar encerrada con él en un hotel de siete estrellas.

–¿De siete estrellas? No sabía que hubiera hoteles de siete estrellas.

–Me refiero a que será súper elegante. Ay, Cat... Pensé que todo estaría bien porque Zoom vendría y yo estaría con él, pero ahora que quizá no venga…

–¿Los chicos de Londres no tienen exámenes también?

–Sí, pero no son tan importantes y Ollie no se perdería esto. Por nada del mundo.

–¿Crees que te tentaría Michael?

Si Cat hubiese estado conmigo, me habría visto sonrojarme. Michael había sido el protagonista estelar de todas mis fantasías amorosas hasta que conocí a Zoom; y aunque estaba saliendo con Zoom y nunca le sería infiel, no podía negar algo que había sido tan importante en mi vida, aunque hubiese sido una fantasía.

–No. De ninguna manera. Yo jamás le sería infiel a Zoom. De todos modos, Michael también está con alguien. ¿Te acuerdas de Usha, la chica que vino con él la última vez que estuvo aquí?

–Ah, sí –dijo Cat.

–Todo estará bien. Sería mejor si no viniera, pero ¿quién sabe? Hace muchísimo que no lo veo y estoy segura de que todos esos sentimientos habrán desaparecido. Es decir, han pasado tantas cosas desde entonces. Como Zoom. Él es todo lo que quiero.

–Ey, no te preocupes –dijo Cat–. Pase lo que pase, nosotras te cuidaremos.

Cuando colgué el teléfono, pensé en la pregunta de Cat. ¿Me tentaría? ¿Sí o no? Había estado enamorada de Michael desde que tenía memoria, entonces, ¿por qué cambiaría eso de pronto? Era súper lindo, inteligente y divertido. Todas las cosas que me gustaban en un chico. Pero Zoom también era todas esas cosas. Todo estaría bien.

Zoom, Zoom, Zoom.

No tendría que haberme preocupado. La siguiente llamada fue del mismo Zoom.

Se puso a cantar una canción que había oído tocar a papá, una de los años sesenta que hablaba de "abordar el expreso a Marrakech".

–Recibí tu mensaje y puedo ir –anunció Zoom.

–¿En serio? ¿Ya hablaste con tus padres y todo? –le pregunté.

–Síííííííííí... Totalmente a favor.

–Pero ¿cómo? La mamá de Mac le dijo que no, por los exámenes.

–¿En serio? Debe de estar súper amargado.

–Pensé que tus padres te dirían lo mismo.

–Ah, sí, pero parte de mi trabajo escolar consiste en sacar fotos. Convencí a los míos de que no hay mejor lugar en el planeta para sacar fotos fabulosas que Marrakech. Y es verdad. Será un contraste fantástico con las fotos que saco aquí, de cielos grises y playas ventosas. Todos esos colores maravillosos de Marruecos: ocres, rojos, amarillos. Los montes Atlas. Los mercados. La medina. Será bueno tener fotos nuevas para mi carpeta de presentación cuando quiera ingresar a la escuela de arte.

–Bien pensado, Batman –respondí–. Así se hace. Es una pena que Mac no haya tenido una idea similar con sus padres.

–Sí. Debe estar enojadísimo. Tendremos que hacer algo para levantarle el ánimo cuando volvamos. O quizá traerle algo fabuloso de allá. Como una bailarina propia. Vaya, Lia. Va a ser genial. Aparentemente, en el norte de África la luz es fantástica. No veo la hora. Realmente voy a poder hacer unas tomas alucinantes. Amaneceres. Puestas de sol. Lugares increíbles. Retratos de ti. Debes darle unas gracias interminables de mi parte a tu papá. Esto es perfecto. Lo mejor que me ha pasado después de conocerte.

Se lo oía muy feliz. Íbamos a pasarlo mejor que nunca. Michael Bradley no sería ningún problema.

4
Faltar a la escuela

–Nooooo –rezongué–. No puede haber dicho eso.

–Puede y lo ha hecho –repuso papá–. No va a permitirlo.

Era miércoles; yo acababa de volver de la escuela cuando papá me hizo una seña para que lo acompañara al salón rojo, donde rápidamente cerró la puerta detrás de mí.

–Y ¿qué dijo?

Me refería a la Sra. Peterson, la directora de la escuela. Papá había hablado con ella esa tarde para consultar si estaba de acuerdo con que Cat, Becca, Zoom y yo saliéramos temprano de la escuela el viernes siguiente por el cumpleaños de mamá. "Temprano", en este caso, significaba "probablemente no ir en todo el día".

–¿Se da cuenta, Sr. Axford, de que las ausencias no autorizadas se consideran injustificadas cuando vienen los inspectores? –la imitó papá, haciendo voz chillona.

No se parecía en nada a la manera de hablar de la Sra. Peterson y casi me hizo reír, pero me preocupaba mucho la posibilidad de que, después de todo, no pudiéramos ir a Marruecos.

–Pero ahora no podemos no ir. Ya reservaste el hotel y todo.

Papá se dejó caer en el sofá, donde pronto lo acompañaron Max y Molly, uno a cada lado.

–Lo sé. Lo sé. Tal vez fue mala idea desde el comienzo. Esta clase de cosas se deben organizar con meses de anticipación. Es mi culpa. Debí hacerlo antes.

–Podemos decir que estamos enfermos –sugerí.

–Y ¿no crees que la Sra. Peterson atará cabos? Qué coincidencia, que todos se enfermen justo el día que viajamos a Marruecos.

–Podría suceder. Somos todos amigos. Podríamos comer del mismo lote de langostinos o mariscos... intoxicarnos. Sucede todo el tiempo.

–No, Lia.

–Por favor, vamos. Es un solo día...

–*No*, Lia. Ya sabes lo que pienso de esas cosas. No quiero que nadie piense que hay algunas reglas para el público en general y que los Axford hacemos nuestras propias reglas. Yo especialmente no quiero que tus profesores piensen eso.

Sentí que me bullía el estómago. Ahora entendía por qué no había querido decir nada del viaje hasta que fuera absolutamente seguro. Era muy doloroso organizar algo e imaginarte allá para que luego te dijeran que no podía ser.

–¿Y Ollie? ¿Hablaste con su director?

Papá asintió.

–Hablé con el Dr. Howard justo antes de hablar con la Sra. Peterson. Resultó que la ocasión no podía ser más oportuna, porque ese viernes es día de capacitación para el personal de su escuela. Todo el personal tiene que ir, es algo relacionado con la salud y la seguridad; de modo que los alumnos tienen el día libre y Ollie iba a venir aquí a pasar un fin de semana largo.

–Pero... no pueden irse todos y dejarme aquí...

Papá extendió el brazo y me tomó la mano.

–No vamos a dejarte, Lia. No haríamos eso. Sólo, quizás, habrá que reformular el plan. Algo más sencillo, ya que ha habido algunos problemas. Tu escuela no es el único. Susie se ha pasado el día al teléfono. El hotel está confirmado, de modo que eso está resuelto; lo difícil podría ser llevar a todos allá. Ella reservó el vuelo para tu madre y para mí, pero llevar a todo el mundo significa que la gente deberá viajar en dos, quizá tres vuelos distintos. Esperaba que todos pudieran ir juntos.

–Estaremos bien –dije–. Yo iré con Estrella, Ollie, Cat, Becca y Zoom. ¿Cuándo son los vuelos?

–Algunos, el jueves; otros, el viernes, pero como te dije, no puedes salir antes de la escuela...

–Pero, papá, todo el mundo lo hace.

–No, Lia. Nosotros acatamos las reglas. Está bien, todo el mundo lo hace, pero si se portan mal no terminan con su nombre en la primera plana de los periódicos, ¿no? ¿Te imaginas? Hace falta una sola persona para que la historia se filtre: "Adolescentes faltan a la escuela sin autorización gracias a Zac Axford, irresponsable, etc., etc."

De pronto entendí. Papá habrá tenido su mayor éxito en los años ochenta, pero eso no significaba que la prensa hubiera perdido el interés en él. Aún lo perseguían cuando había el menor asomo de noticia. El año pasado, papá estaba en Londres y se reunió a almorzar con mi tía Cydney. Mamá se demoró en otra parte y por eso almorzaron los dos solos, papá y mi tía. Al día siguiente, salieron en todos los periódicos. Fotos de los dos juntos con el título: *Zac Axford deja a su esposa por una modelo más joven parecida a ella.* Mamá y Cydney se rieron mucho, pero a papá no le causó gracia. "Esa clase de cosas pueden causar problemas a la más feliz de las familias", dijo. La gente siempre viene con eso de que "cuando el río suena, agua lleva", y no importa lo que uno diga en su defensa, siempre parece culpable. Casi desde que había aprendido a caminar y a hablar, me habían enseñado a observar las reglas y a no hacer nada que pudiera ser malinterpretado por la prensa. No porque tuvieran interés en mí, pero entendí por qué papá no quería sacarnos a los tres de la escuela y decir: "Al diablo con todo".

–Y ¿qué vas a hacer? –le pregunté.

Papá meneó la cabeza.

–Aún no lo sé. Y, antes de que lo preguntes, ya consultamos los vuelos para el sábado. En un avión hay un solo lugar, pero de ninguna manera vas a viajar sola y, de todos modos, tendrías poco tiempo allá y te perderías la cena del viernes. Ya probamos con todas las aerolíneas. Parece que ese domingo hay una especie de convención. No lo sé, tal vez no deba ser. Pero ¿qué otra cosa puedo hacer? ¿Organizar un gran picnic en el parque de Mount Edgcumbe? No lo sé. Lo he arruinado. Dejé pasar demasiado tiempo.

Meneé la cabeza.

–¿Picnic? No parece lo mismo, ¿verdad? Entonces, ¿quieres que avise a los demás?

–Aún no –respondió papá, mientras se volvía hacia la ventana y miraba hacia afuera–. Mira, déjalo por mi cuenta.

Se lo veía muy triste. Hasta Max y Molly percibían que ocurría algo y lo miraban, preocupados.

–No puedes rendirte, papá –le dije–. Tiene que haber una solución.

–¿Como cuál? Soy estrella de rock, no mago.

Y entonces se me ocurrió una idea.

–Sí, papá. Eso es. Eres una estrella de rock. ¡Eres una estrella de rock! Tal vez sea hora de que actúes como tal.

Papá me miró, desconcertado.

–¿A qué te refieres?

–Gasta un poco de tu dinero. Es el cumpleaños de mamá. No escatimes gastos.

–Es lo que voy a hacer. Ese hotel no es barato, créeme...

–Seguro que no –repuse–. ¿Cuánto tienes en el banco?

–No sé. De eso se ocupa mi contador.

–¿Más o menos?

–Un par de mill...

–¿Un par de millones?

–Sí. Entra un par de millones cada año. Antes entraba más.

–¿Todos los años? Entonces, por el amor de Dios, papá. ¿No es obvio?

–No te entiendo, querida. ¿Qué no es obvio?

Extendí los brazos como si fueran alas e hice como si volara por el salón.

–Lia, ¿qué diablos haces?

–La solución, papá. Es sencillo. Nada de volar por una línea aérea comercial. Seguro que eso no es problema para Elton John, Paul McCartney o Mick Jagger.

Papá seguía mirándome como si estuviera loca.

–Alquila... un... avión...

5
Itinerario

Susie hizo milagros y pronto todo estuvo resuelto. Mamá y papá tenían reservas en primera clase en un vuelo comercial para el viernes por la mañana. ¡Y para los invitados, no uno sino dos aviones privados! Uno saldría de Londres a primera hora de la tarde, para los que vivían cerca de allí. Y otro para el contingente de Cornwall, que saldría de Newquay a última hora de la tarde.

–No puedo creer que voy a viajar en un avión privado –dijo Cat–. Ni siquiera subí nunca a un avión normal. ¿Cuántos somos?

–Ocho. Meena (que hará de acompañante para todos) y Ollie con sus amigos, que vendrán el jueves por la noche –respondí.

–Pero ¿tu mamá no sospechará si los ve? –interrumpió Becca. Estábamos en su casa el sábado por la mañana, revisando su guardarropa por milésima vez.

–No. Sabe que el viernes no tienen clases y piensa que vienen a pasar el fin de semana largo aquí.

–¿Uno de ellos no vino el año pasado para la fiesta de cumpleaños de tu mamá? –preguntó Zoom.

–Sí. Eh... vino Michael.

Zoom miró a la distancia por unos momentos, con aire pensativo.

–Sí. Lo recuerdo. Un tipo de buen aspecto. Es... bueno, es la clase de chico que siempre pensé que te atraería.

Le di un puñetazo.

–No te enojes. ¿Sus padres también tienen mucho dinero? –preguntó.

–Creo que les va bien... Si no me equivoco, su papá tiene una productora.

–¿De TV? –preguntó Zoom.

Asentí. Me sentía incómoda hablando de Michael, y quería cambiar de tema antes de llegar a ruborizarme o de hacer alguna estupidez que me delatara.

–Así que televisión, ¿eh? Más interesante que lo que hace mi papá. Ser mecánico no es precisamente algo glamoroso.

–Sí lo es –repliqué–. Tu papá es el hombre más importante del pueblo. Cat me dijo eso cuando me mudé aquí. Y tu mamá es la mujer más importante. Transporte y buen pelo. Estaríamos perdidos sin ellos.

–Pero no es nada glamoroso –insistió Zoom, con expresión melancólica.

–Tu mamá es increíblemente glamorosa –dijo Cat–. Es una rubia lindísima.

–No –respondió Zoom–. Común y corriente. Mi familia es común y corriente.

Nunca había oído a Zoom hablar así, como si se avergonzara de sus orígenes. Era extraño, pues yo siempre había pensado que era yo quien se creía demasiado común y corriente.

–Repasemos el itinerario otra vez –propuso Becca, al tiempo que tomaba su cuaderno–. Quiero escribirlo todo para no olvidarme.

Reí.

–Estaremos todos juntos. No vas a olvidarte de nada ni vamos a olvidarnos de ti, y de todos modos, ¿no tienes esa copia que nos imprimió Susie? Allí está todo.

–Lo sé. Sólo quiero que lo repitas. Me gusta oírlo.

–De acuerdo. El viernes por la tarde, después de la escuela, todos ustedes vienen conmigo a Barton Hall, donde nos recogerán y nos llevarán al aeropuerto de Newquay, desde donde volaremos a Marrakech.

El vuelo dura poco más de tres horas y tenemos tiempo a favor, pues allá tienen una hora menos que aquí.

–De modo que tenemos que dejar todo listo y empacado el jueves –observó Zoom–. Debo ver que todas las baterías de las cámaras estén cargadas y asegurarme de llevar una tarjeta de memoria de más; no quiero que se me acaben cuando estemos allá.

–¿Tu mamá ya sabe algo, Lia? –preguntó Cat.

–Sospechaba algo por todas las llamadas telefónicas que hubo en estos días, entonces papá le contó la verdad a medias. Le dijo que irían los dos a pasar un fin de semana a Marruecos, al hotel donde se conocieron. Se puso muy contenta y parece que creyó que eso es todo. Que ése era el secreto. No creo que tenga idea de que iremos todos.

–¿Irán en avión privado? –preguntó Cat.

Meneé la cabeza.

–Papá la llevará a Londres el viernes temprano para quitarla del medio. Luego volarán en primera clase con una aerolínea comercial desde Gatwick. Apenas lleguen allá, la llevará a tomar el té. Nosotros nos registramos en el Riad Rhoul apenas lleguemos y nos escondemos hasta que papá nos diga. Él sabe los horarios de llegada del resto de los invitados. Va a decirle a mamá que la llevará a cenar a un lugar especial y sugerirá un trago en la terraza del hotel antes de ir... y allí estaremos todos nosotros.

–Excelente –dijo Zoom–. ¡Ni yo habría podido organizarlo mejor!

–El sábado iremos a recorrer –proseguí–. Susie nos imprimió algunos lugares interesantes para que elijamos. Podemos ir al mercado, quedarnos en la piscina, visitar algunos de los palacios antiguos...

–Hagamos todo eso –propuso Zoom–. Quiero ver todo lo que pueda. El sábado voy a levantarme a las cinco y saldré a sacar fotos antes de que lleguen todos los turistas.

–El sábado por la noche, papá nos anotó a todos para un espectáculo para turistas llamado Fantasía. Suena divertido.

Cat tomó la hoja informativa de Susie y leyó.

–Una velada con comida marroquí y entretenimientos, que culminará con un extravagante espectáculo de caballos árabes. Bueno, eso sí que no se ve en Whitsand Beach. Va a ser genial.

–Lo sé.

–Esto se pone cada vez mejor –observó Zoom–. Caballos. Y seguro que habrá fogatas. Vaya. ¿Se imaginan las tomas que voy a poder hacer?

–Luego, el domingo otra vez los invitados pueden elegir entre una excursión a los montes Atlas para el almuerzo o un viaje a un pequeño pueblo pesquero para almorzar en un hotel de allí. Los dos lugares están a un par de horas de viaje, de modo que se puede ver un poco de la campiña, y luego, al caer la tarde, regresamos a casa.

–¿Essoo...? –preguntó Cat mientras revisaba el itinerario–. ¿Cómo se pronuncia el nombre del pueblo pesquero?

–Essaouira –respondí–. S-ah-u-ira. O algo así.

Lo había buscado en internet apenas me había enterado de que iríamos, y parecía un paraíso. Largas playas blancas junto a un puerto pesquero en actividad, una ciudad amurallada, pequeñas callejuelas llenas de puestos que vendían toda clase de cosas. Prefería ir allí más que a las montañas, pues sería perfecto después del bullicio y el ajetreo de Marrakech. Imaginaba a Zoom y a mí, tomados de la mano, caminando por la playa al sol. Esperaba que él no eligiera la excursión a las montañas.

–Essaouira era el sitio adonde iban los artistas, músicos y escritores en los años sesenta y setenta –expliqué–. Jimi Hendrix, Frank Zappa y Jefferson Airplane; aparentemente, todos estuvieron allí. Hasta mi papá estuvo por un breve tiempo en 1969. Tenía apenas unos seis años. Los abuelos Axford estaban haciendo la recorrida hippie. Papá dice que recuerda que Hendrix estuvo en Essaouira, aunque no se quedó mucho tiempo.

–Tu familia es genial –dijo Cat–. Mis abuelos jamás salieron de Cornwall.

Zoom quedó boquiabierto.

–¿Hendrix? ¿Zappa? No veo la hora.

El domingo fue el turno de Cat para que revisáramos su guardarropa y eligiéramos qué llevaría. Becca nos hizo reír pues se pasó la mayor parte del tiempo en el suelo, haciendo ejercicios abdominales.

–Si voy a tener que andar en bikini delante de todos esos chicos, quiero lucir más o menos decente –explicó, jadeando, mientras hacía sus ejercicios.

–No sé por qué te preocupas –respondí–. Tienes un cuerpo increíble.

Y lo tiene. Es alta y tiene curvas, a diferencia de mí, que soy alta y no tengo busto. En bikini, parezco un varón.

Cat miró el reloj.

–Faltan cinco días, once horas...

–Y veinticinco minutos –completó Becca–. Parece que el tiempo pasara tan lento desde que nos enteramos. No veo la hora de que llegue el viernes.

No habíamos visto mucho a Mac. Su madre hablaba en serio cuando decía que quería que estudiara, y no lo había dejado salir ni una sola vez. En cierto modo, no era malo porque creo que se habría sentido excluido al oírnos hablar sin parar acerca del viaje. Zoom había ido a verlo cuando pudo y habían estudiado juntos para sus exámenes. Sus padres tenían un enfoque más relajado con respecto al estudio y permitían que Zoom manejara sus propios tiempos. Ese método parecía darles resultado, pues Zoom estudiaba mucho en la mayor parte de su tiempo libre.

El lunes por la noche, vino conmigo a casa después de la escuela para cenar algo y ultimar detalles del viaje.

Se sentó junto a la ventana de mi habitación mientras yo sacaba la maleta que había escondido debajo de la cama. Había empezado a empacar varios días antes y siempre estaba agregando o quitando cosas.

Zoom rió cuando me vio cambiar por tercera vez un vestido que quería llevar.

–Estarás fabulosa te pongas lo que te pongas –me aseguró–. Deberías hacer una lista, ¿sabes?, escribirlo todo para saber que no te olvidas de nada. Cámara, bikini, vestido, anteojos de sol...

–¡Anteojos de sol! –exclamé–. Debo ponerlos.

Fui a mi cajón y hurgué hasta que encontré mis anteojos preferidos. Los había comprado hacía unos meses y eran los mejores que había tenido. Grandes, negros y muy cómodos. Sin embargo, cuando los saqué del cajón, noté que la lente derecha estaba ligeramente rajada.

–Ay, no. ¡Están rotos!

Zoom se acercó y los tomó.

–Sí. Parece que sí. ¿No tienes otros que puedas llevar?

Meneé la cabeza.

–No tan lindos como éstos. Son mis preferidos. Los compré en la oficina de correos de Kingsand.

Zoom asintió.

–Sí, allí tienen buenas cosas. Probablemente tengan más de éstos. ¿Quieres que vaya a ver?

–¿Lo harías?

–Sí. Podría ir mañana después de la escuela.

Supongo que mi decepción se reflejó en mi cara.

–No podríamos ir ahora, ¿no? Nos vamos el viernes. No nos queda mucho tiempo y quiero estar segura de tenerlos; si no, tendré que ir a Plymouth mañana...

–No –respondió Zoom–. Yo no me preocuparía. Habrá negocios en el aeropuerto. Puedes comprarlos allá si en la oficina de correos no tienen más.

–Pero no vamos a tener tiempo. No será como un vuelo normal. Es un avión privado. Uno llega y sube. Además, el aeropuerto de

Newquay es pequeño; quizá no tenga negocios o, si los hay, tal vez no tengan anteojos bonitos. Qué fastidio...

Zoom se puso de pie.

–Te diré qué haremos. Iré a buscarlos ahora.

–No. No es necesario que hagas eso...

–No es nada –dijo Zoom, mientras tomaba los anteojos rotos–. Me los llevo para estar seguro de que sean los mismos, volveré enseguida. ¿A qué hora cenamos?

–Como en media hora.

–En mi bicicleta, no tardaré más de veinte minutos.

–No, en serio, Zoom, no vayas. Sólo estaba enfadada porque se rompieron mis anteojos preferidos. No importa...

Pero ya estaba digiriéndose a la puerta.

–Vuelvo enseguida –dijo. Dicho eso, se fue. Un hombre con una misión.

Mientras esperaba que regresara, me probé algunas prendas más. Tantas decisiones. Llevar mi bikini turquesa o el traje de baño negro. O ambos. Mi pareo a rayas o el indio que hace juego con el bikini. O ambos.

Sólo cuando Meena avisó que la cena estaba lista me di cuenta de que hacía más de media hora que Zoom se había ido. Llamé a su celular para averiguar cuánto tardaría, pero estaba en contestador. Grrrr, pensé. Tengo que hablar con él por esa costumbre de dejar el teléfono apagado. Pero seguramente significa que está en camino.

Bajé a la cocina y le dije a Meena que Zoom estaba por llegar y que quería esperarlo.

Fui al salón rojo y miré por la ventana hacia el camino de acceso, para ver si había señales de Zoom, pero estaba vacío a no ser por Max y Molly, que jugueteaban por ahí. Miré el reloj. Habían pasado cuarenta minutos.

Llamé a su casa por si había pasado por allí para algo ya que estaba en el pueblo.

–No, querida –respondió la Sra. Squires–. Dijo que se quedaría a cenar en tu casa. ¿Dónde está?

–Bueno, probablemente está volviendo. Fue al pueblo a buscar algo.

Después de llamar a su mamá, volví a intentar con el celular.

Seguía en contestador. Y ya hacía cerca de una hora que se había ido.

Llamé a Mac pero él tampoco sabía nada y, como la Sra. Squires, pensaba que estaba conmigo.

Pasó una hora y media y ya empezaba a tener hambre esperando a Zoom.

Acababa de entrar a la cocina a buscar un poco de jugo cuando oí sonar el teléfono. Mamá atendió antes de que yo llegara.

–Debe ser para mí –dije, mientras me acercaba a ella, pero algo en su tono de voz y en su expresión me hizo detener.

–Sí, sí. Se lo diré –dijo mamá.

–¿Qué? ¿Qué pasó? –le pregunté, empezando a asustarme.

Mamá colgó el teléfono y se volvió hacia mí.

–Hubo un accidente...

–Dios mío. ¿Zoom?

Mamá asintió.

–Llamaron a una ambulancia y lo llevaron al hospital.

6
En el hospital

Apenas podía respirar.

–¿Está bien? –pregunté.

–Aún no lo saben –respondió mamá–. El que llamó era su papá y dijo que llamaría apenas supieran algo.

–¿A qué hospital lo llevaron?

–Al de Torpoint.

–Tengo que ir. ¿Me llevas, mamá? Por favor. Por favor. No puedo quedarme aquí a esperar.

Esto no puede estar pasando, pensé. Parecía irreal y me sentía aturdida, no lograba aceptarlo. Dios mío, por favor, que esté bien, recé.

Mamá me abrazó.

–Bueno, vamos. No sabemos lo que pasó. Quizás está bien.

–O quizás no. Por favor, mamá. Vamos.

Mamá asintió.

–Por supuesto. Voy a buscar el auto –dijo.

Camino al hospital, mi imaginación se desató y empezaron a pasar por mi mente imágenes de Zoom quebrado y lastimado. ¿Qué podía haber pasado? Y ¿dónde? Hice que mamá me repitiera una y otra vez lo que había dicho el papá de Zoom por si algo se me había escapado, pero no, parecía que el Sr. Squires sabía muy poco.

–Seguro que dobló una esquina a mucha velocidad y se cayó de la bicicleta –dije–. Siempre lo hace. Seguro que eso fue lo que pasó. Se habrá quebrado algún hueso.

–Puede ser –respondió mamá, pero sonaba tan preocupada como yo.

Cuando llegamos al hospital, nos dirigimos deprisa a Accidentes y Emergencias y observé a la gente que estaba en la sala con la esperanza de ver a Zoom sentado allí, con una gran sonrisa avergonzada y nada más grave que una torcedura de muñeca.

Pero no había señales de él ni de su familia.

Mamá se dirigió a la recepción y habló con una señora que estaba sentada allí.

–Por favor, ¿podría ayudarnos? Estamos buscando a un muchacho, de dieciséis años. Tuvo un accidente y lo trajeron aquí hace aproximadamente media hora.

–¿Nombre?

–Sra. Axford.

–No. El nombre del muchacho.

–Ah. Claro. Lo siento. Jack Squires.

La mujer buscó en la computadora que tenía a su derecha y luego señaló con el mentón hacia unas puertas dobles a la izquierda.

–Por allá. Sigan derecho hasta el final del pasillo y luego a la izquierda. Los médicos lo están revisando y sus familiares están en la sala de espera. Pueden esperar con ellos, si quieren.

¿Los médicos lo están revisando?, pensé, y me esforcé por seguir respirando. Dios mío, Dios mío. Por favor, que esté bien.

El pasillo que conducía adonde nos habían enviado tenía sillas a los costados, llenas de personas con aire preocupado, probablemente familiares de los pacientes. Se los veía muy pálidos bajo la brillante luz fluorescente. Odio los hospitales, pensé. Odio el olor a desinfectante mezclado con verduras hervidas. Odio la luz artificial. Odio el clima de preocupación. Odio pensar que Zoom está aquí y está herido.

Cuando doblamos, supimos que habíamos dado con el lugar indicado: al final del corredor, encontramos al Sr. y la Sra. Squires y a Will, el hermano menor de Zoom. Verlos allí sentados en silencio me llenó los ojos de lágrimas. No era común que estuvieran tan callados, pues dondequiera que estuviera la familia Squires, siempre había bullicio, risas, y todo el mundo hablando a la vez.

El Sr. Squires nos saludó con la cabeza al ver que nos acercábamos. Se lo veía agotado, como si hubiera envejecido unos diez años.

–¿Cómo está? –pregunté, cuando llegamos hasta ellos.

El Sr. Squires se encogió de hombros y abrió las manos con las palmas hacia arriba para indicar que no sabían nada.

–Nadie quiere decirnos nada –dijo Will, con voz solemne–. Esos malditos médicos no se dan cuenta de que están tratando con seres humanos, no con pedazos de carne.

Su papá lo rodeó con el brazo.

–Calma, no hables así, hijo.

–Pero tú lo dijiste –replicó Will.

El Sr. Squires miró a su esposa y puso los ojos en blanco, y ella le devolvió una semisonrisa. Tuve la impresión de que Will acababa de repetir algo que había oído decir a su papá.

–¿Saben ya lo que pasó? –preguntó mamá.

–Los hombres de la ambulancia dijeron que hubo un accidente –respondió la Sra. Squires–. En el cruce, en las afueras de Kingsand. Dicen que un auto venía bajando la colina y siguió derecho...

Empezó a quebrársele la voz y el Sr. Squires la rodeó con su brazo.

–No sabemos bien lo que pasó –continuó por ella–. Parece que hubo un choque entre un auto y Zoom en su bicicleta. Aún no sabemos qué gravedad tuvo pues nadie quiere darnos detalles. Ahora está con un par de médicos.

Sentí que iba a desmayarme pues me empezaron a zumbar los oídos y seguía costándome respirar. Todo esto es mi culpa, no dejaba de pensar, es todo mi culpa.

–¿Qué estaba haciendo Zoom en el pueblo? –preguntó el Sr. Squires, como si hubiera captado mis pensamientos.

–Eh...

No sabía qué decir. Mamá estaba allí y, si decía que Zoom había ido a buscar mis anteojos de sol para el viaje a Marruecos, la sorpresa de papá quedaría arruinada. Pero ¿acaso eso importaba ahora? Si Zoom estaba malherido, quizá ni siquiera habría un viaje a Marruecos. Y si los padres de Zoom se enteraban de que había ido a buscar algo para mí, podrían culparme por el accidente y odiarme para siempre. Y tendrían razón en culparme.

–Yo… eh...

–No lo sabe, querido –le dijo la Sra. Squires a su esposo–. Ella me llamó… habrá sido media hora antes del accidente, ¿te acuerdas, Lia? Llamaste para preguntar si sabía dónde estaba Zoom y yo te dije que pensaba que estaba contigo, y...

Por suerte, el interrogatorio se interrumpió y no tuve que seguir pensando qué decir, ya que un médico joven salió de una sala cercana y se dirigió a nosotros.

–¿Sr. y Sra. Squires?

Los padres de Zoom asintieron y se pusieron de pie. El Sr. Squires tomó la mano de su esposa y se la apretó con afecto.

–Sí. Somos nosotros. ¿Se pondrá bien?

El médico cambió de posición, incómodo, y los miró.

–Aún no lo sabemos con certeza. Tiene una conmoción, de modo que estamos haciéndole estudios para ver si hay daños permanentes. Lamento no poder decirles más por ahora. Deberíamos tener más información en una hora. Aparte de eso, tiene quebrada la pierna izquierda, fractura de clavícula y esguince de muñeca, y... bueno, aún estamos haciendo estudios para asegurarnos de que no se haya dañado la columna vertebral, pues parece que se golpeó la espalda cuando se cayó de la bicicleta.

La Sra. Squires emitió un gemido y buscó la mano de su esposo. Sentí que el corredor empezaba a girar y me senté en la silla más cercana. Inmediatamente, mamá se sentó a mi lado y me rodeó con su brazo.

–Lo siento mucho –dijo el médico–. Les avisaremos apenas tengamos alguna novedad.

–¿Puedo verlo? –preguntó la Sra. Squires.

El médico vaciló y nos miró a todos rápidamente, pero luego asintió.

–Cinco minutos, pues aún nos falta hacerle estudios.

La Sra. Squires desapareció rápidamente en la sala de la que acababa de salir el médico. Los demás nos quedamos sentados en silencio, esperando, hasta que ya no pude soportarlo más.

–Voy a llamar a Cat, Becca y Mac –anuncié a los otros.

–Buena idea –respondió el Sr. Squires–. Debemos avisarles. Sí. Bien. De hecho, yo también debería hacer algunas llamadas, avisar a la gente.

–Aquí no se puede usar el celular –saltó Will–. Puede interferir con los aparatos y descomponerlos, y hacer explotar a la gente. Señaló un cartel que indicaba que no se permitía el uso de celulares.

–Lo sé –respondí–. Voy afuera.

Una vez afuera, llamé a Mac, Cat y Becca, y todos se horrorizaron al enterarse de la noticia. Traté de convencerlos de que no había nada que pudieran hacer pero, igual que yo, todos querían estar donde estaba Zoom.

Cuando volví a entrar, vi que mamá estaba sosteniendo la mano de la Sra. Squires.

–¿Qué pasó? –pregunté–. ¿Ocurrió algo más? ¿Dónde está el papá de Zoom?

Will señaló la sala.

–Está visitando a Zoom. El médico dijo que podía entrar unos minutos cada uno.

–¿Cómo estaba? –pregunté a la Sra. Squires.

Meneó la cabeza. Tenía los ojos enrojecidos de llanto.

–Se lo veía... muy en paz. Como dormido. Tiene la pierna toda sujeta y el brazo enyesado. Hay un montón de aparatos... Dios mío, por favor, que despierte.

Un momento después, el papá de Zoom salió y se sentó con pesadez junto a su esposa.

–¿Puedo entrar yo? –pregunté, y el Sr. Squires asintió pero, justo cuando iba a abrir la puerta de la sala donde estaba Zoom, se acercó un médico por detrás, me apoyó la mano en el hombro y me detuvo.

–Tal vez más tarde –dijo–. Tenemos que terminar las pruebas.

Asentí y volví con los demás.

Al cabo de un rato, el Sr. Squires se puso de pie.

–No soporto esto. Voy a avisar a la gente...

Mamá también se puso de pie.

–Y yo voy a buscar café. ¿Quién quiere algo?

Todos menearon la cabeza. Nadie quería nada.

–Bueno –dijo mamá–. Quizá más tarde cambien de idea.

A medida que avanzaba la noche, el pasillo del hospital empezó a llenarse de amigos y familiares. Cat. Becca. Mac. El papá de Cat. Las tías de Zoom. Los tíos. Más tías y tíos. Zoom llama a su familia "la tribu", porque son muchos. A veces parecía que manejaban toda la península de Rame. Uno tenía el pub; otro, la tintorería; otro, la panadería, y así sucesivamente. Zoom se alegraría de saber que todos estaban allí. Por favor, Dios, que recobre el conocimiento. Y, por favor, Dios, que esté bien.

Se trajeron y tomaron tazas de café. Hubo lágrimas. Se compartieron angustias. Todo parecía irreal, como si el tiempo se hubiera detenido y todos estuviéramos en un extraño sueño. O pesadilla.

–Zoom es muy popular, ¿no? –observó Mac cuando llegó otro tío de Zoom, Ed.

Asentí. No tenía ganas de hablar mucho.

Al cabo de una media hora, volvió a abrirse la puerta de la sala donde estaba Zoom y salió el médico. Se veía cansado y sorprendido al ver tantos pares de ojos que lo miraban con aire interrogador.

–Creo que va a recuperarse por completo –dijo, y hubo un suspiro colectivo–. Tiene algunos huesos rotos, algunos golpes fuertes y sigue con conmoción, pero confiamos en que no habrá daños permanentes.

–¿Y su columna vertebral? –preguntó el Sr. Squires–. ¿Va a poder caminar?

El médico asintió.

–Cuando se le cure la pierna fracturada, sí, podrá caminar.

–Ah, gracias a Dios –dijo la Sra. Squires.

–¿Puedo verlo ahora? –pregunté, y me volví hacia los padres de Zoom–. ¿Si les parece bien?

–¿Es de la familia? –preguntó el médico, dirigiendo la pregunta al papá de Zoom.

–La novia –respondió el padre, sonriendo.

–Ah, pasa, entonces. No veo por qué no –dijo el médico–. Pero no te quedes mucho tiempo.

Me abrió la puerta y entré sigilosamente a la habitación en penumbras. Mis ojos tardaron un momento en adaptarse después de la luz brillante del pasillo, pero pronto pude ver a mi Zoom acostado allí, con la pierna y el brazo enyesados y conectado a unos monitores ubicados en la cabecera de la cama. Como había dicho su mamá, se lo veía muy en paz. Como dormido. Me acerqué a la cama en puntas de pie y busqué su mano. Suavemente, puse mi mano derecha sobre su mano izquierda.

–Cuánto lo siento, Zoom. Yo tengo la culpa de todo. Me senté en el borde de la cama y le acaricié la frente con las puntas de los dedos de mi mano izquierda– Por favor, vuelve con nosotros. Por favor, vuelve. Soy yo. Lia. Tuviste un accidente pero vas a ponerte bien. Por favor, despierta. Lo siento mucho.

Pero parecía que Zoom estaba en el más profundo de los sueños.

Al cabo de otro minuto, el médico se asomó por la puerta.

–Mejor déjalo por ahora.

Me puse de pie para salir, me incliné y besé a Zoom suavemente en la frente. Cuando me apartaba, vi que sus ojos se movían ligeramente y él emitía un gemido leve.

Deprisa, fui a la puerta, la abrí y busqué al médico, que estaba cerca de allí hablando con el Sr. Squires.

–Doctor, doctor –lo llamé–. Creo que está volviendo en sí.

Hubo un gemido más fuerte detrás de mí y, cuando di la vuelta, vi que Zoom se movía ligeramente en la cama. Y luego un gemido más fuerte aún. Y entonces abrió los ojos, miró al techo y después trató de girar la cabeza.

–Aaahhh... –gimió–. ¿Dónde diablos estoy?

Corrí hasta la cama. Gracias, gracias, Dios. Zoom había vuelto.

7
Ir o no ir

–Todo pasó como en cámara lenta –contó Zoom, mientras Mac se sentaba a su lado y le dibujaba una caricatura en un costado de la pierna enyesada–. En mi mente, sigo viendo una y otra vez el momento del choque, como si se me hubiera trabado un CD.

–Probablemente es tu cerebro, que trata de entenderlo –sugirió Cat–. De asimilarlo.

Era martes por la noche y Cat, Becca, Mac y yo habíamos ido al hospital directamente de la escuela llevando de regalo uvas (que comió Becca), chocolate (que comió Cat) y una tartaleta de almendras (que en su mayor parte comió Mac). Zoom no parecía tener mucho apetito pero al menos pudo contarnos lo que había pasado, pues aquella noche en que volvió en sí, los médicos mandaron a todo el mundo a su casa a descansar y no pudimos enterarnos de nada.

Zoom estaba sentado en la cama cuando llegamos, y se lo veía muchísimo mejor que la noche anterior. Había recuperado el color en las mejillas y sus ojos estaban brillantes.

–Y ¿quién tuvo la culpa? –preguntó Becca.

–Yo no –respondió Zoom–. Creo que el tipo ni siquiera venía mirando el camino. Creo que venía mirando hacia la bahía, admirando la vista. No había otros autos, así que supongo que pensó que podía ir tranquilo. No se le ocurrió que podía aparecer una bicicleta.

–¡Dios mío! ¿Y él también se lastimó? –preguntó Becca.

Zoom meneó la cabeza.

–Sólo se asustó por haberme golpeado, creo. Parecía estar en shock cuando se detuvo y se dio cuenta de lo que había pasado. ¡Aunque no tan en shock como estaba yo!

Le apreté la mano con afecto.

–Bueno, cuánto me alegro de que estés bien...

Zoom hizo una mueca y miró su pierna.

–¿A esto le llamas estar bien? Tengo huesos rotos y cómo me duele cada vez que me muevo…

–Lo siento mucho.

–Lia, por millonésima vez, tú no tuviste la culpa. No te culpo por nada. La culpa fue del tonto que venía conduciendo sin mirar por dónde iba.

–Sí, pero si yo no te hubiera enviado por los anteojos de sol…

–Tú no me enviaste. Yo me ofrecí, si mal no recuerdo –replicó, y luego miró a los demás–. ¿Quieren explicarle?

–De acuerdo. Está bien –respondí–. Pero lo siento. Ya está.

Zoom se encogió de hombros.

–Creo que podría haber sido peor. Lo que más me molesta es que ahora no podré ir a Marruecos. Los médicos quieren tenerme aquí unos días más para hacerme más estudios en el cerebro o algo así. Sí, es molesto tener una pierna fracturada y todo eso, pero tiene arreglo. Pero el viaje a Marruecos… era una oportunidad única.

–Yo tampoco voy a ir ahora –dije–. Si tú no vas, no.

Cuatro caras me miraron con asombro.

–¿Cómo que no vas? –preguntó Zoom–. ¿Por qué no?

–¿Desde cuándo? –preguntó Becca.

–Desde que Zoom se lastimó –respondí.

–Pero... pero… –balbuceó Becca–. En la escuela no nos dijiste nada.

–Quería decírselo primero a Zoom.

Cat y Becca parecían decepcionadas.

–Que yo no vaya no significa que ustedes no puedan ir –les dije–. Siguen teniendo las reservas. Mamá y papá entenderán.

–Ni lo pienses –respondió Cat–. No podemos ir sin ti.

–¿Tu mamá sospechó algo ayer? –preguntó Zoom–. Odiaría pensar que le arruiné la sorpresa.

Meneé la cabeza.

–Estuve a punto de contarle todo cuando pensé que no recobrarías el conocimiento, pero luego...

Zoom sonrió.

–Ah. Los tenía preocupados, ¿verdad?

–Ya lo creo –respondió Mac–. En serio.

–Pero dijiste que tu mamá y tu papá van a entender. ¿Eso significa que aún no les dijiste nada? –preguntó Becca.

Volví a menear la cabeza.

–Aún no. Bueno, en realidad, debo decírselo a papá, y no lo vi esta mañana antes de ir a la escuela. Había salido a cabalgar.

–Estás loca –dijo Zoom–. No puedes dejar de ir por mí. Olvídalo.

–Puedo dejar de ir y no voy a ir. Voy a quedarme aquí a cuidarte. Y no nos vamos a perder todo. Aún nos queda la fiesta del verano.

Zoom meneó la cabeza.

–No. De ninguna manera. No vas a dejar de ir. ¿Qué te parece, Mac?

Mac se encogió de hombros.

–No depende de mí, amigo. Tú decides.

–Sí, y no voy a permitir esto –dijo Zoom, y luego miró a Cat, Becca y Mac–. ¿Nos dan cinco minutos?

–Claro –respondió Mac, y los tres se pusieron de pie para salir.

–¿Quieren alguna bebida o algo de la máquina? –preguntó Becca.

–No, gracias. Sólo dennos cinco minutos.

Cuando salieron y cerraron la puerta, Zoom me tomó la mano y me miró a los ojos.

–¿Te acuerdas de lo que hablamos acerca de decirnos siempre la verdad? ¿Pasara lo que pasase?

Asentí.

–Pues bien, ésta es la verdad, Lia. Yo no quiero que te quedes aquí. ¿Qué vas a hacer? ¿Quedarte sentada junto a mi cama y leerme algo? De ninguna manera, cuando podrías estar en Marrakech y Essieooo...

–Essaouira.

–Sí. Allí.

–Pero no será lo mismo sin ti. No. Yo no quiero ir ahora.

–Tienes que ir.

–No es cierto.

–Sí lo es.

–No puedes obligarme.

–Sí puedo.

–No puedes.

–Sí puedo.

–¿Cómo?

Zoom suspiró.

–No lo entiendes, ¿verdad? No puedo ser responsable de que no vayas, y no es justo que me cargues con esto cuando estoy en estas condiciones. –Se recostó sobre las almohadas y lanzó un gemido largo, fuerte y teatral–. Ooooooooh. Aaahhhhhhh. Iiiiiiiiiiii. ¿Ves? El dolor físico es una cosa, pero cargar con el dolor mental de saber que no sólo te arruiné el fin de semana sino además el cumpleaños de tu mamá sería demasiado. Cuánta culpa. Cuánta culpa...

–Te diré una cosa –respondí–. Sigue con la fotografía, porque una cosa es segura: como actor, no tienes futuro.

Lamentablemente, mi resistencia a su actuación de aficionado no hizo más que darle más ánimo. Apoyó el dorso de su mano sana sobre la frente y siguió actuando lo más trágicamente que podía.

–Qué cruel eres por hacerme esto. ¡Oooooohhhh, qué tortuuuuura meeeeentaaaal! La carga que debo soportar. El peso del mundo. (Suspiro, y otro suspiro.) Imagínate el daño que causarías si hicieras el papel de mártir y te quedaras a atender mis necesidades, mis humildes necesidades. Me harías sentir un fracasado (miró con aire triste su pierna enyesada), además de lisiado. Castrado. Probablemente tendré que hacer terapia durante años y años para superarlo.

Tuve la sensación de que me estaba manipulando, chantajeando o algo así, y también presentí que Zoom no iba a aceptar un no por respuesta.

–De acuerdo. Está bien. Tú ganas. Cualquier cosa con tal de que se termine esta actuación horrenda. Iré. Iré. No quisiera que pasaras el resto de tu vida en terapia.

Zoom volvió a sentarse y sonrió.

–Bien. Porque quiero que hagas algo por mí.

–¿Qué cosa?

–Que saques fotos. De todo. Ya que no puedo ir, te daré mi cámara digital para que la lleves y me traigas todo en imágenes.

–Por supuesto. Y vendré a verte todas las noches antes de ir, y también apenas regrese.

–Bien. Y una cosa más. Otra vez aquello de la verdad. En serio. Quiero que me lo cuentes todo. Lo que veas, oigas, sientas, saborees, y no te guardes nada por temor a que me sienta mal por habérmelo perdido. Ya sé lo que me estoy perdiendo y por eso quiero oírlo todo de ti cuando vuelvas.

Entrelazó el dedo meñique de su mano sana con el dedo meñique de mi izquierda y tiró de él.

–La verdad –dijo.

–La verdad –repetí.

–Excelente. Ahora bien. ¿Queda algo de esa tartaleta o Mac se la comió toda?

8
Rumbo a Marruecos

–¡Hurra! Esto es fantástico –dijo Becca, acomodándose al estilo Cleopatra en el sofá rinconero del avión.

Cat olfateó el aire.

–Sí. Y huele tan caro. Como a perfume bueno y a cuero. Vaya, y miren esa pantalla. Es como un cine privado.

Acabábamos de abordar el avión en el aeropuerto de Newquay y las chicas estaban impresionadas. Paredes con paneles de nogal. Cuadros abstractos de buen gusto. Sofás y sillones de cuero color miel dispuestos en torno a mesas pequeñas… era más como estar en el vestíbulo de un hotel elegante que en un avión.

–Sí –respondí–. Y hay una videoteca de DVDs.

–¡Una videoteca! –exclamó Becca–. Pensé que sólo podríamos elegir entre tres películas.

–No cuando es un vuelo privado. Es parte de la diversión.

–Sí –dijo Cat, al tiempo que levantaba una tarjeta de la mesa ratona que teníamos delante–. Y ¿han visto este menú? Dios mío. Básicamente, podemos pedir cualquier cosa. Champaña... *Moët & Chandon*... ¡Demonios! ¿Tendrán una simple *Coca*?

Tuve que sonreír. Se estaban divirtiendo mucho y ni siquiera habíamos despegado aún. Yo había viajado muchas veces en vuelos privados, pero era distinto estar con mis amigos. Era como verlo todo con ojos nuevos.

–Yo volé muy pocas veces –dijo Becca, mirando alrededor con asombro–. Y puedo decirte, Cat, que no fue nada como esto. Por lo general hay unos cincuenta asientos, tal vez más, todos dispuestos en filas con un espacio más o menos así de grande. Y casi no hay lugar para las piernas, así que si uno es alto, mala suerte. Una vez me tocó sentarme al lado de un tipo enorme que ocupaba todo su asiento y parte del mío. Pensé que iba a sofocarme. Pero esto... –Se estiró y flexionó los dedos de los pies–. Esto es de lo mejor. Un lujo. Así quiero viajar de ahora en adelante.

–Yo también –respondió Cat, y miró alrededor–. ¿Adónde fue Meena?

–Probablemente a buscar a los chicos –respondí, echando un vistazo hacia la puerta, detrás de mí. Se acercaba la hora de despegar y los muchachos aún no habían abordado porque Jamie quiso comprar artículos para afeitarse a último momento y se habían ido deprisa al aeropuerto para ver si encontraban algo.

Me levanté para examinar el resto del avión y encontré a Meena ocupada en el área de la cocina, para gran confusión de la bonita azafata rubia que estaba allí.

–No es necesario que hagas eso, Meena –le dije–. Ven a sentarte. Esto también debe ser un descanso para ti.

–Sólo controlaba que todo estuviera bien –respondió, mientras me seguía al área de estar–. Pero está bien. Todo en orden.

Meena es un tesoro. Debe de tener bastante más de cincuenta años y está con nosotros desde que puedo recordar. Nos cuidó a todos cuando éramos bebés: a Estrella, a Ollie y a mí. Ya es parte de la familia; para mí es más como una tía que un ama de llaves.

Cuando llegamos al área de estar, vi que los muchachos ya habían abordado. Ollie estaba sentado junto a Cat y tomé de mi bolso la cámara de Zoom para sacarles una foto, pues formaban una pareja muy atractiva: Ollie, con su apuesta cara cuadrada, y Cat, con su bonita cara en forma de corazón. Becca estaba sentada entre Jamie y Henry, y se la veía muy contenta. Me pregunté si le gustaba alguno de ellos. Henry era el más apuesto de los dos: robusto y de pelo claro como Ollie. Es todo un galán en Londres, donde es la estrella del equipo de rugby. Pero Jamie me parecía más divertido. Era más menudo que los otros, con cabello castaño un poco largo que se le rizaba a la altura del cuello de la camisa, y ojos verdes a los que nada escapaba.

Michael estaba sentado a mi derecha, mirando los DVDs. Levantó la vista y sonrió al verme. Michael Bradley. Su nombre seguía teniendo un extraño efecto sobre mí, pero probablemente fuese porque lo había escrito mil veces en mis cuadernos de la escuela primaria y en los primeros dos años de la secundaria. Michael Bradley y Lia Axford. MB y LA. MB ama a LA. Me parece una tontería, ahora que soy mayor y he seguido con mi vida. Solía garabatear su cara en los márgenes de todos mis cuadernos. Normalmente, no soy buena dibujante, pero había dibujado sus rasgos tantas veces que ya me salían perfectos. Mandíbula fuerte. Un hoyuelo en el medio. Boca ancha, con el labio inferior ligeramente más grueso. Nariz recta. Ojos pardos aterciopelados, cabello oscuro y sedoso con un mechón rebelde sobre el ojo derecho. Había sido extraño verlo la noche anterior, cuando los chicos llegaron de su escuela. No estaba segura de lo que iba a sentir. Estaba con Zoom desde la última vez que lo había visto y no había pensado en otros chicos, menos aún en Michael. Pareció alegrarse de verdad de volver a verme y no dejó de aclararme que ahora estaba solo y que él y Usha habían terminado. Yo le aclaré desde el comienzo que tenía novio.

–Sí, me enteré –dijo, inclinándose hacia mí, de modo que pude percibir su perfume. Era *Armani*, como el de Ollie–. Un novio con la pierna enyesada, de modo que supongo que no va a acompañarnos.

No supe cómo tomarlo, ni si estaba provocándome o flirteando conmigo. Fuera como fuese, yo me mantendría fiel a Zoom. Mi enamoramiento de Michael era cosa de cuando era pequeña, me dije. Ya soy grande y lo superé.

Observando cómo todos se preparaban para el vuelo, sentí una punzada de dolor en el estómago pues no pude evitar pensar que Zoom debería estar allí, tomando mi mano mientras despegáramos, divirtiéndose también. Le habría encantado volar en un jet privado.

Empecé a sacar fotos del interior del avión.

–¿Para qué sacas fotos del avión? –preguntó Ollie, asomando la cabeza para aparecer en la foto–. Es aburrido, ¿no?

–Para Zoom –respondí–. Le prometí que iba a fotografiarlo todo desde el comienzo.

Ollie guiñó un ojo a sus amigos y, más rápidos que un rayo, él, Jamie y Henry se pusieron de pie, nos dieron la espalda, se bajaron los pantalones y expusieron su trasero a la cámara.

–Aquí tienes, entonces –prosiguió Ollie–. Esto lo hará más interesante. Una de las mejores vistas imaginables.

–*Ollie* –exclamé–. Qué asco.

Cat y Becca reían a más no poder mientras Michael ponía los ojos en blanco y decía: "Crezcan, chicos".

Meena, sin embargo, se levantó de un salto.

–Cúbranse, cúbranse. Malos chicos, malos chicos –les dijo, mientras les daba unos sendos pellizos en las nalgas como si fueran criaturas que se habían portado mal. Sólo logró que los otros se rieran más aún. Me aseguré de tomarlo todo con la cámara. Para que Zoom también riera después. Era la clase de cosa que él y Mac quizás habrían hecho si hubiesen estado allí.

Los muchachos se abrocharon los pantalones y volvieron a sentarse ante la mirada reprobatoria de Meena, y poco después, subió el piloto. Se presentó a sí mismo y a su tripulación, nos contó un poco sobre la ruta y el tiempo de vuelo, y luego desapareció en el frente.

Mientras despegábamos, miré por la ventanilla. A medida que ascendíamos, el suelo empezó a alejarse rápidamente. Las casas y los edificios fueron haciéndose más y más pequeños hasta que se veían como filas diminutas de cajas, y los autos en los caminos parecían hormigas. Me di vuelta para mirar los campos verdes que iban desapareciendo allá abajo, y pensé que no muy lejos de allí estaba mi pobre Zoom, todo sujeto en su cama del hospital, en uno de los edificios que parecían cajas, mientras nosotros volábamos cada vez más alto y más lejos.

El avión alcanzó la altura de las nubes, las atravesó y ya no pude ver el suelo. Apenas un paisaje de nubes blancas y esponjosas y, más allá, el cielo muy azul.

Estábamos en camino.

Durante el vuelo, los demás charlaban y jugaban. Ollie y Cat se pusieron a mirar un DVD y Becca ya parecía tener a Jamie y Henry pendientes de cada palabra suya. Sabe flirtear muy bien, pensé, mientras la observaba echarse el pelo hacia atrás y hacer caídas de ojos mientras respondía a algo que había dicho Henry. Ojalá yo pudiera ser tan segura como lo es ella.

De vez en cuando, echaba un vistazo a Michael, y siempre estaba observándome. Yo apartaba la vista rápidamente y luego, unos minutos más tarde, volvía a mirarlo y él seguía observándome. Con una sonrisa callada. Era muy irritante. Tuve ganas de decirle que dejara de mirarme, pero eso sólo habría llamado la atención de los demás y era lo último que yo quería. ¿Que Ollie se pasara el fin de semana haciéndome bromas al respecto? No, gracias.

Al cabo de un rato, empezamos a conversar sobre nuestra vida, la escuela y la gente que conocíamos. Era fácil conversar con él. Un buen tipo. Interesante. Adulto, en cierto modo. No es que Mac o Zoom no lo sean, sólo que Michael da la impresión de ser mayor, por alguna razón. Me contó que quería ser periodista y yo le dije que me sentía confundida y no sabía a qué quería dedicarme. Hablamos de arte, música, cine, y en un momento pensé: esto se está poniendo demasiado cómodo, especialmente porque cada vez que hay una pausa en la conversación, él me sigue mirando muy fijamente.

Con la excusa de que quería sacar algunas fotos por la ventanilla, me mudé a otro asiento que estaba más apartado de la mirada de Michael, y allí me quedé durante el resto del vuelo, mirando por la ventanilla y fantaseando. Es una de las cosas que más me gusta hacer en los aviones y en los trenes. Me encanta la sensación de estar suspendida del mundo y de mi vida por un breve lapso. La sensación de que he abandonado un lugar pero aún no he llegado al próximo, y observar el cielo que pasa, el remolino de nubes o la tierra allá abajo. Los campos, caminos, ríos, montañas y vidas tan diferentes de la mía. Hasta ahora he tenido mucha suerte y he podido conocer lugares increíbles y pasar vacaciones fantásticas: Kenia, Ciudad del Cabo, Botswana, Sudamérica, Florida, San Francisco, Nueva York, Tailandia, Australia, Europa, hemos estado en casi todo el mundo. Incluso estuvimos antes en el norte de África, en Túnez. Me agradaba África. Hay lugares adonde uno va y no siente que sean muy distintos de Inglaterra. Pero en África, se nota la diferencia. Desde el instante en que se ve aquella vasta extensión de tierra pardusca y seca allá abajo desde la ventanilla del avión, y luego, cuando se aterriza, se siente el calor del sol en la piel y se respira ese aire que huele a especias, hierbas, flores y madera.

El viaje tardó poco más de tres horas y no nos pareció que hubiese pasado mucho tiempo cuando el piloto nos informó que estábamos volando sobre Casablanca y faltaban veinte minutos para el aterrizaje. Abajo, los campos parecían un collage de colores de helado: miel, fresa, menta, caramelo, vainilla y chocolate, y luego apareció una ciudad de un tono ocre rosado y el avión empezó a descender. Eché un vistazo a Cat, que tenía la cabeza apoyada en el hombro de Ollie y él la tomaba de la mano. Me pregunté si estaría nerviosa, siendo la primera vez que volaba. De ser así, sin duda no lo parecía, pero yo conocía a Cat.

Sabía que era capaz de disimular lo que sentía y, si estaba asustada, no querría que los chicos se dieran cuenta.

Becca estaba jugando a los naipes con Jamie y Henry y parecía estar ganando.

Meena dormitaba en su asiento.

Y Michael seguía observándome. Inmediatamente aparté la vista y miré al piso, pero luego pensé: vamos, ya no soy la chiquilla que lo admiraba y se sentía intimidada por él. Ya tengo catorce años. Levanté la cabeza, me di vuelta y lo miré de frente, como desafiándolo a que apartara la vista. Nuestros ojos mantuvieron el contacto y sentí que me atravesaba una descarga eléctrica. Él también lo sintió. Me di cuenta porque su sonrisa se hizo más amplia y levantó una ceja como reconociendo lo que había pasado.

Aparté la vista y busqué una vez más la cámara de Zoom.

–Voy a filmar cómo se ve el aterrizaje desde aquí, para Zoom –dije a Michael–. Es tan diferente del verde de Inglaterra, ¿no crees?

Michael asintió.

–Ah, sí, Lia –dijo–. Sí.

Aparté la vista y empecé a filmar por la ventanilla. Me sentía confundida e irritada, pero no sabía si era con Michael o conmigo misma. ¿Cómo podía sentir algo tan fuerte cuando yo tenía novio? Un novio que me gustaba de verdad y a quien no lastimaría por nada del mundo. Recordé que me había hecho prometerle que siempre le diría la verdad. En ese caso, tendría que esforzarme por mantenerme lejos de Michael Bradley cuando bajáramos del avión. Ahora éramos Zoom y Lia. No Michael y Lia.

9
Marrakech

Todos mis pensamientos de Michael e incluso de Zoom desaparecieron apenas aterrizamos y todo empezó a pasar como en cámara rápida: el golpe de calor al bajar del avión, la limusina que nos recogió, Jamie y Henry haciendo el chiste obligatorio de asomarse por el techo corredizo para saludar a la gente por el camino, los ciclomotores, bicicletas, taxis, camionetas, el bullicio enloquecido del tránsito en los caminos hacia el centro de Marrakech, la llegada al hotel, el encuentro con Estrella, Rhiannon y George, que habían llegado en el vuelo anterior, que había salido de Londres. Saludar a los demás invitados (también llegados en el vuelo de Londres), una recorrida rápida del hotel, los ojos de Cat iluminados, observándolo todo, Becca feliz de estar allí, ducharnos, cambiarnos de ropa y dirigirnos rápidamente al bar de la terraza para sorprender a mamá. Uf. Pero lo logramos.

Allá arriba, la vista era gloriosa. El cielo tenía la luz suave del ocaso, de color rosa pastel, azul y plata. En el fondo de la terraza, habían preparado una mesa baja de cedro con cristalería, cubiertos y velas dentro de una gran tienda árabe. Alrededor de la mesa había almohadones púrpuras con hilos dorados, y en el suelo, había tapetes esparcidos con los colores marroquíes rojo, borgoña y oro. Parecía una mesa dispuesta para un jeque y su harén. En el resto de la terraza, suaves cortinas de muselina de tonos rojos y morados flotaban en la brisa, y en el frente, encima de una barra de bebidas, un toldo de seda púrpura se recortaba contra el cielo. Se veía muy romántico y sabía que a mamá le iba a encantar.

Becca miró su reloj y luego hacia los techos ocres de las casas de la medina que se extendían a la distancia.

–Es asombroso, ¿no? Como un sueño.

–¿Atrasaste tu reloj? –le preguntó Cat.

Becca asintió.

–Las nueve hora de Inglaterra. Las ocho aquí, ¡y mira dónde estamos! No puedo dejar de pellizcarme.

–Y todo el mundo está deslumbrante –dijo Cat, observando la llegada de los invitados a la terraza.

Todos se habían engalanado para la ocasión y se veían como para la entrega de los Oscars. Pobre Zoom, pensé, probablemente ya está harto de estar en cama, mirando telenovelas y comiendo la horrible comida del hospital en lugar de estar aquí, en esta tienda exótica en el cielo, pronto a comer un festín digno de un rey. Rápidamente, hice varias tomas del lugar con la cámara para que pudiera verlo todo a mi regreso, pero dudaba de que pudiera percibir el clima. Todo el mundo estaba de buen humor y el aire bullía de ansiedad.

Cat y Becca se veían fabulosas. Becca había ido a un salón de belleza en la semana y se había hecho uno de esos tratamientos de bronceado en aerosol que dan la impresión de que uno lleva una semana de vacaciones. Se había puesto un top turquesa que hacía ver sus ojos del mismo color, pantalones negros, y se había recogido el cabello de manera tal que parecía realmente adulta y sofisticada. Cat tenía puesto un fantástico corset teñido en batik rojo y rosa, una falda negra y un par de sandalias de tacón alto de *Emma Hope* que le regaló mi hermana Estrella la Navidad pasada. Se veía tan bonita y tan feliz que Ollie no podía quitarle los ojos de encima (y tampoco Jamie; lo capté con la cámara mirándola boquiabierto). Y yo tenía puesto mi vestido corto de seda plateada. Me lo puse porque es el preferido de Zoom y él me pidió que me lo pusiera para poder imaginarme con él. Personalmente, me parecía que acentuaba mi falta de busto, pero Cat y Becca decían que me quedaba genial.

Del otro lado de la terraza, Estrella se levantó de pronto de su taburete en el bar, guardó su celular en su bolso y golpeó ligeramente una copa con un tenedor de modo que hizo un tintineo. La terraza quedó en silencio.

–Papá acaba de llamar –anunció–. Ya llegaron al hotel y en unos minutos la traerá aquí arriba. No olviden que ella piensa que tendrán una cena romántica y tranquila, los dos solos, así que todos escóndanse y, cuando yo tosa, salgan.

Todo el mundo se lanzó detrás de las cortinas que rodeaban la terraza, mientras yo tomaba cuantas fotos podía de todos desapareciendo.

–Vamos, Lia –me dijo Estrella–. Estarán aquí enseguida.

La mayoría de los escondites estaban ocupados, de modo que me dirigí rápidamente a la zona del bar y detrás de una cortina que llevaba a un balcón diminuto que daba a los jardines y al patio. Michael había llegado allí antes que yo y estaba escondido contra la pared.

–Aquí no hay mucho lugar –dijo, y me atrajo hacia él–. Acomódate.

Me aparté.

–¡Ah! No importa. Buscaré otro lugar.

–No hay tiempo –respondió–. Vamos. Apriétate contra mí y yo te sostendré por la cintura.

Sabía que él tenía razón y que no era momento para ponerme melindrosa, de modo que me recosté contra él para que no pudieran verme desde la terraza. Estábamos tan cerca que podía sentir su aliento sobre mi piel. Sentí que me derretía. Todo parecía perfecto: el cielo espectacular, la brisa aromática, el chico de mis fantasías...

–Hueles genial –dijo, mientras levantaba mi cabello, acercaba la cara detrás de mi oreja e inhalaba el perfume *Calvin Klein* que me había puesto antes.

Detrás de la oreja es uno de los sitios donde tengo más cosquillas, por lo cual di un salto y, sin querer, le di un codazo en el estómago a Michael.

–Ayyy... –rezongó–.

–Lo siento. Me hiciste cosquillas –le susurré.

–Disculpa –respondió, y volvió a hacerlo. Entonces me dio un ataque de risa.

–Cállate –susurró Michael.

–Cállate tú –le respondí.

–Tú empezaste.

–No es cierto. Fuiste tú. Por meter la nariz en mi cuello. Pero me da cosquillas. No puedo evitarlo.

–¿En serio? –dijo, y empezó a acariciar otra vez mi cuello con la nariz y a mordisquearme un poco la oreja.

Era una sensación divina y se me empezaron a aflojar las rodillas.

–Basta...

Michael se apartó.

–Lo siento, está bien. Ahora, silencio.

Lo único que se oía era el tránsito distante y la respiración pareja de Michael, hasta que detrás de una de las cortinas que estaban cerca de nosotros, se oyó un *prrrr* apagado.

Michael rió.

–Alguien acaba de echarse... tú sabes. Suerte que no está aquí con nosotros.

–Epa –dijo una voz masculina. Creo que fue Jamie pero, quienquiera que haya sido, nos hizo empezar a reír otra vez y pronto los dos estábamos luchando por contener la risa. Michael tenía lágrimas en las mejillas, de tanto esfuerzo que hacía por no reír. Por suerte, no tuvimos que esperar mucho más pues pronto oímos pasos y la voz de papá.

–Aquí estamos. ¿Qué te parece? –preguntó.

–Zac –oímos responder a mamá–. Está bellísimo aquí arriba... pero... ¿seguro que estamos en el lugar correcto? Esa mesa parece preparada para una fiesta.

Entonces Estrella dio la señal tosiendo una vez y todos salimos de nuestros escondites.

–Taraaaaaa –exclamé.

–¡Sorpresa! –gritaron los demás–. ¡Feliz cumpleaños!

Mamá parecía absolutamente atónita mientras recorría tantas caras conocidas allí, frente a ella.

–Jamie... Lia... Estrella... Ollie... George... Rhiannon. Pero... ¿Cómo llegaron todos aquí? Y Lia... Esta mañana te despedí camino a la escuela... ¿Cómo...?

Papá rió.

–Feliz cumpleaños, querida.

–Sí, feliz cumpleaños, mamá –dijo Ollie.

–Espero que no te moleste –dijo papá–. Ya sé que dijiste que no querías una gran fiesta.

–Pero... ¿Cómo llegaron todos aquí? –insistió mamá.

–En alfombra mágica –respondió papá–. ¿Seguro que no te molesta?

No hacía falta que lo preguntara. Se notaba en el rostro de mamá que estaba encantada.

–Esto es perfecto. Perfecto. No quería una gran fiesta que yo tuviera que organizar, pero no, esto es perfecto.

Aparecieron camareros desde la zona del bar, por las escaleras. Empezaron a abrir botellas de champaña, a circular bandejas con maravillosos canapés, y el sonido de las risas resonó sobre los techos.

Sólo cuando Michael se acercó y me rodeó la cintura con un brazo me di cuenta de que, en medio del entusiasmo, había olvidado registrar con la cámara la reacción de mamá. ¿Cómo iba a explicarle a Zoom que se me había escapado el momento más importante de todo el viaje?

10
Fantasía

–Eh, Ollie...

–¿Sí? –me respondió desde el baño, donde se oía que se estaba duchando.

–¿Qué van a hacer ustedes esta mañana? –le pregunté.

–Jamie quiere ver los Jardines Majorelle. Parece que son fabulosos. Mamá y papá también vienen. Y después, tal vez, vamos a alguno de los palacios. ¿Adónde van ustedes?

–Aún no estamos seguras –le respondí, y salí al pasillo para volver a nuestra habitación antes de que pudiera hacerme más preguntas. Pase lo que pase, pensé, necesito estar lo más lejos posible de Michael Bradley. La noche anterior había bajado la guardia y no podía arriesgarme a que volviera a suceder.

–Servicio en la habitación, señora –me dijo una bonita chica marroquí, que venía por el pasillo empujando un carrito con comida y se detuvo ante nuestra puerta, al mismo tiempo que yo.

–Gracias –le dije, y abrí la puerta para que pudiera entrar con el carrito.

Le di algunos dirhams y llevé la bandeja con el desayuno por el ventanal abierto hasta el balconcito que había afuera. El hotel era un sitio encantador. Estaba justo en el corazón de la medina, y era sorprendente cuando uno ingresaba. Estaba ubicado sobre una calle muy transitada, llena de negocios y puestos callejeros pero, una vez que se atravesaba la enorme puerta, era un lugar tranquilo, fresco y apacible, más como una espaciosa casa privada que un hotel. Estaba decorada en el estilo tradicional marroquí, con mosaicos coloridos en los pisos y paredes para mantener el ambiente fresco y, en los cielorrasos, paneles de madera pintados. Los marroquíes llaman a ese tipo de casas *riads*, que significa una casa que no tiene ventanas a la calle sino que mira hacia adentro, a un patio central con un jardín. Éste tenía un jardín *y* además una piscina en el medio. A Cat y Becca les encantó.

Habíamos preferido compartir una suite, aunque papá había dicho que cada una podía tener una habitación propia, pero optamos por un "pijama party" marroquí. Nos habíamos quedado despiertas hasta las tres de la mañana, conversando sobre la fiesta, los muchachos y quién le gustaba a quién. Becca se inclina decididamente por Henry (a juzgar por el maratón de besos que tuvieron en uno de los balcones) y me parece que, aun estando Ollie aquí, a Cat le atrae Jamie. No sé si ella se ha dado cuenta. Pasó gran parte de la noche bailando con Ollie, pero en la cena se sentó junto a Jamie y creo que nunca la vi reír tanto en compañía de alguien, salvo con Zoom. Yo no les había contado lo que había sentido estando escondida con Michael. Pensaba que, si se lo contaba a alguien, se volvería más real, mientras que si me lo guardaba para mí, podía fingir que nunca había sucedido.

El día anterior había sido confuso con Michael. No podía negar que había algo entre los dos y sabía que él también lo sentía. Era muy atractivo, eso no se podía negar. Recuerdo que, cuando yo era pequeña y él venía a casa, me sentía como una admiradora cuando ve en persona a su ídolo cuya foto tiene en la pared de su cuarto. Eso no había cambiado, pero no significaba que me gustara más que Zoom ni que lamentara no poder tener nada con Michael. Los dos me gustaban, pero Zoom era mi novio y no iba a traicionarlo sólo porque él no estaba aquí y Michael sí.

Cat y Becca habían bajado a desayunar en el comedor pero yo había decidido hacerlo en la habitación pues no quería toparme con Michael.

Mi plan era evitarlo todo lo posible durante el viaje. Hoy pasaría el día con las chicas mientras los muchachos hacían su excursión. Por la noche, me quedaría en el hotel cuando todos fueran a la velada de Fantasía. Y mañana, iría a Essaouira porque me había enterado de que los muchachos pensaban ir a los montes Atlas. Y luego todo terminaría. Yo volaría a Newquay con mamá, papá, Meena y las chicas. Y Michael volvería con Ollie, Jamie y Henry en el avión a Londres, pues debían estar de regreso en la escuela el lunes por la mañana. Todo resuelto. No pasaría nada. No necesitaba mentirle a Zoom.

Al levantar la cubierta de plata de mi desayuno, había un plato de frutas (melón, kiwi), un plato de queso y una cesta de panecillos. En la bandeja había también una cafetera, una jarrita de leche y un vaso de jugo de naranja recién exprimido. A Zoom le habría encantado. Desayunar allí sentado al sol en un balcón privado de aquel bellísimo hotel, contemplando las palmeras y los arbustos en flor del patio. Era maravilloso: lo único que se oía era una mezcla de cantos de los muchos pájaros que había en el jardín y, a la distancia, el sonido ocasional que llamaba a la gente a la mezquita. Si cerraba los ojos, podía ver a Zoom sentado frente a mí como debió haber estado, con una gran sonrisa en la cara. Ésa era una de las cosas que me encantaban de Zoom. Siempre estaba sonriendo. Era una persona muy feliz. Siempre entusiasmado y con una curiosidad infinita. Era contagioso, y siempre me hacía bien estar con él.

Regresé a la habitación a buscar la cámara y tomé unas fotos de la apacible escena del desayuno a la sombra del balcón, y después, de la paz de los jardines y del patio allá abajo. Zoom siempre me decía que en una buena película debía haber contrastes, y que era importante colocar una escena tranquila luego de una de acción. Con mis fotos, le demostraría que había prestado atención a sus consejos. La fiesta era mi escena de acción (había empezado a tomar fotos otra vez, luego de perderme la reacción de mamá, y había fotografiado la mayor parte de la cena, la fiesta y el baile) y ahora, la mañana siguiente era mi postal tranquila. Y más tarde iría a fotografiar escenas coloridas en torno a la plaza principal de Jemaa-el-Fna. Con un poco de suerte, Zoom no me preguntaría por qué me había perdido el momento en que todos salimos para sorprender a mamá.

Mi plan para eludir a Michael funcionó a la perfección. Observé salir a mamá, papá y los muchachos escondida tras una columna en la recepción. Subieron a un par de taxis y partieron hacia los jardines, y entonces yo salí con las chicas hacia Jemaa-el-Fna. El sol estaba fuerte y por las calles había un flujo constante de peatones, ciclomotores, bicicletas, burros, mulas y carros. Todo un contraste después del oasis del *riad* y me cercioré de tomarlo todo con la cámara para Zoom.

Cuando llegamos a la plaza, pasamos las siguientes horas explorando el mercado y haciendo compras, ¡y fue una experiencia fantástica! Estrella y Rhiannon vinieron con nosotras y, todas juntas, exploramos el laberinto de puestos callejeros. Allí se vendía de todo: especias, bellísimas lámparas de Alí Baba de todos los colores y tamaños, tapetes, cubrecamas, almohadones, ropa, zapatos, bolsos, cinturones, joyas, vajilla, botellas de vidrio y plata, chalinas, cajitas de madera para guardar baratijas. Los vendedores, ansiosos, nos llamaban a cada paso:

–Por aquí. Pase a ver. Doy buen precio. Bereber genuino. Buena calidad. Por favor. Pase a mirar...

Y olía tan exótico: una mezcla de cedro, carne asada, pan fresco, miel, menta, calor, especias ¡y estiércol de burro! Deseé que la filmación captara también los aromas, pues eran parte de la experiencia de estar allí.

A las tres de la tarde, estábamos cargadas de bolsas con todo tipo de artículos.

–No olvides que tendrás que cargar eso en el avión –le recordó Estrella a Rhiannon, que quería comprar un enorme tazón azul y amarillo–. Si lo pones en la maleta, se va a romper.

Rhiannon rió.

–Dios mío, tienes razón. ¡No había pensado en eso!

Cat compró una billetera para su papá, unas chinelas suaves de cuero celeste para la novia de él, Jen, serpientes de madera que se movían como las de verdad para sus hermanos Joe y Luke, y un hermoso perfumero turquesa para su hermanita, Emma. Becca compró para su mamá unos aretes de plata y coral, y para su papá, un libro sobre Marrakech. Yo quería comprar algo para Zoom. Algo que fuera verdaderamente marroquí y que él pudiera atesorar.

–Te gusta mucho ese chico, ¿no? –me dijo Rhiannon mientras recorríamos los puestos en busca del regalo perfecto.

Asentí.

–Debería estar aquí con nosotros. No dejo de pensar que tengo la culpa de que no esté aquí. Fue a buscar algo para mí y entonces ocurrió…

Estrella me abrazó.

–No puedes seguir culpándote, Lia. Con lo poco que lo conozco, creo que a Zoom no le gustaría que lo hicieras. Él querría que lo pasaras lo mejor posible.

–Supongo que sí –respondí. Pero no podía evitar sentirme culpable al saber que yo estaba paseando y divirtiéndome cuando él estaba confinado a una cama, y todo por mí. Ningún recuerdo que pudiera llevarle sería tan bueno como la experiencia de estar en este lugar.

En ese momento, pasamos por un puesto que vendía CDs y el dueño nos hizo señas de que nos acercáramos a escuchar. La música marroquí que sonaba a todo volumen me dio una idea. Zoom me había pedido que fuera sus ojos. Yo sería también sus otros sentidos. Sus oídos. Su nariz. Le compraría un CD de música marroquí para poder llevarle los sonidos del lugar. Y, si le compraba especias y recogía flores y menta fresca del jardín y las guardaba en una de las muchas cajitas de cedro que vendían por todas partes, entonces podría llevarle también los aromas. Pensé que eso le gustaría más que una camiseta que dijera "Marruecos".

Para la noche, papá había hecho reservas para que todo el grupo asistiera a un evento para turistas llamado Fantasía, y cuando volvimos al hotel, la mayoría de los invitados ya estaban en sus habitaciones, preparándose. Se llevaría a cabo en un pueblo de fantasía en las afueras de Marrakech y habían reservado un autobús para trasladar a todos.

Mientras Cat y Becca se preparaban, yo me tendí sobre la cama y traté de comunicarme con el celular de Zoom. Atendió el contestador, de modo que supuse que seguía en el hospital. Para verificar, llamé también a su casa con la esperanza de que sus padres me pusieran al tanto de las novedades, pero nadie atendió. Estarán visitando a Zoom, pensé, y guardé el teléfono.

Mientras Becca y Cat se probaban los atuendos que habían traído, revisé las fotos que había sacado por la tarde con la cámara digital. A Zoom le gustarían. Había sacado algunas dentro del mercado y en la plaza, y creo que había logrado captar el ajetreo y los puestos que ocupaban hasta el último espacio disponible. Por un momento, había puesto la cámara en modalidad de video y grabado también el sonido, para que él pudiera oír el bullicio del lugar y los llamados de casi todos los vendedores para que nos acercáramos a ver sus mercaderías: "Ey, sólo un vistazo. Mirar no cuesta nada."

–¿Por qué no estás vistiéndote? –me preguntó Becca, que salió de la ducha con el pelo mojado.

–No voy a ir –respondí.

Cat estaba sentada frente a la cómoda, secándose el cabello. Apagó el secador.

–¿Que no vas a ir?

–¿Por qué no? –preguntó Becca.

–Bueno, quiero acostarme temprano y me encanta estar en el hotel...

–¿Estás loca? –insistió Becca–. Yo no me perdería ni un minuto de este viaje. Todo ha sido espléndido y no deja de ponerse cada vez mejor.

Volvió a la ducha y yo volví a mirar mis fotos. Cat vino y se sentó a los pies de mi cama.

–De acuerdo. ¿Qué pasa? –me preguntó.

–¿A qué te refieres?

–A mí no me engañas –dijo–. Es por Michael, ¿no? Me dijiste que te preocupaba que estuviera aquí. ¿Pasó algo?

–No. No. Bueno, no exactamente. Hubo cierta onda. Ya sabes...

Cat asintió.

–Entonces, ¿cuál es el problema?

–No hay problema.

Cat me apoyó una mano en el brazo.

–Puedes confiar en mí, Lia. No voy a andar con chismes.

Me miraba con una preocupación tan genuina que decidí contárselo.

–Le prometí a Zoom que le diría la verdad acerca de todo lo que pasara en el viaje. Y quiero poder cumplir mi promesa.

–Y lo harás –respondió Cat–. Escucha. Lo que te dijo Estrella es verdad. Zoom no querría que te perdieras nada por él. De veras. ¿Cómo vas a explicarle por qué te perdiste la Fantasía? Vamos, Lia, tienes que venir.

–Michael avanzaba bastante anoche. No quiero defraudar a Zoom.

–No lo harás. Mira, Lia. Tú no eres como Ollie. Él juega con las chicas. Tú no eres así. Eres recta. Zoom lo sabe.

–No lo sé...

Cat suspiró, y luego sonrió.

–Tienes que ir. En primer lugar, tienes que fotografiarlo todo para Zoom. Parece que será una noche espectacular y él nunca te perdonaría si te la perdieras. No te preocupes. Yo te cuidaré. Veré que nunca te quedes a solas con Michael.

–No lo sé... Yo...

Cat se puso de pie y fue hasta el armario, de donde sacó mis jeans blancos y un top.

–Vas a venir. Tienes que hacerlo. Por Zoom. Le prometiste que serías sus ojos mientras estuvieras aquí. Así que vamos. No aceptaré que me digas que no.

El autobús se apartó de la ruta principal y tomó por unos caminos rurales con bastantes pozos, hasta que nos dejó en un campo adonde parecía que estaban llegando la mitad de los turistas (si no todos) que estaban en Marrakech. Ya había oscurecido y las únicas luces eran los faros de los taxis y autobuses y, allá arriba, las estrellas en el cielo.

–Esto puede ser un espectáculo de poca monta para turistas –dije, mientras avanzábamos entre el humo de los autobuses hacia un portal que había en una muralla alta–. Así que no esperen demasiado.

Una multitud se apiñaba para entrar y empecé a desear haberme quedado en el hotel, pues me da claustrofobia cuando hay demasiada gente alrededor. Tomé algunas fotos y busqué a las chicas. Becca, Cat, Rhiannon y Estrella estaban conmigo pero de pronto las perdí de vista entre el gentío que intentaba entrar. Miré alrededor, adelante, atrás, pero no había señales de ellas. El mismo peso de la multitud me empujaba, de modo que guardé la cámara por temor a que se aplastara. De pronto, Michael estaba a mi lado; me tomó la mano y me llevó hacia adelante.

–Quédate conmigo –dijo, y me llevó a través del portal.

Fue como si hubiésemos atravesado el espejo como Alicia en los libros de Lewis Carroll. La multitud se dispersó y estábamos en otro mundo. Un mundo mágico de luz, perfume y fantasía.

Delante de nosotros había dos filas de hermosos caballos blancos, montados por bereberes que, con sus fusiles, formaban un arco para que pasaran por debajo los turistas que llegaban. Al final del arco, había unas bonitas chicas marroquíes vestidas con trajes tradicionales que nos hacían señas para que nos acercáramos. Tomados de la mano, Michael y yo seguimos y, al llegar adonde estaban las chicas, éstas metieron las manos en unas cestas llenas de pétalos de rosa y los esparcieron sobre nosotros. Me sentí como si fuéramos novios y estuvieran arrojándonos arroz al salir de la boda.

Nuestras hermosas guías nos condujeron por una arcada hasta un patio interno. Pasamos junto a un grupo de músicos tradicionales que tocaban tambores y cantaban, y luego por otra arcada hasta llegar a un enorme espacio abierto –grande como una cancha de fútbol– rodeado de salas al estilo de tiendas, cada una con mesas bajas y sillas preparadas para la cena. Detrás de las tiendas había murallas altas como las de un castillo. En el aire se percibían aromas maravillosos de comida: cebolla, especias, ajo y romero. Era como entrar a una ciudad medieval. Un guía se nos acercó, tomó nuestros nombres y luego nos condujo hasta una gran tienda en un extremo del campo. La mayor parte de nuestro grupo ya estaba allí, sentados en almohadones en el piso en torno a cinco o seis mesas. Como Michael y yo fuimos los últimos en llegar, nos acomodaron juntos en una mesa sobre la derecha. Por suerte, Cat, Becca y Jamie también estaban allí. Cat miró a Michael, luego a mí, y movió los labios diciendo: "Lo siento". Me encogí de hombros en respuesta. No importaba. Había tanta gente alrededor que dudaba de que él fuera a intentar algo.

El espectáculo empezó casi de inmediato. Camareros vestidos con atuendos tribales hacían también las veces de artistas y, uno tras otro, llegaban a la entrada de la tienda: bailarinas, encantadores de serpientes, tragafuegos, malabaristas, músicos con panderetas, campanas, tambores y flautas. Hacían su número y, tras una reverencia, pasaban a la tienda siguiente. Otros regresaban trayendo cordero, vegetales asados, cuscús, vino y té de menta.

–Es una noche fabulosa –dijo Cat, reclinándose contra uno de los almohadones con una amplia sonrisa. Observé que Jamie tomó su mano cuando ella dijo eso y Cat no la retiró. Hmm. Interesante, pensé. Ollie tiene competencia. Bien por Cat.

–¿No te alegras de haber venido? –preguntó Becca.

Asentí. Era verdad. El nombre "Fantasía" era perfecto para esa velada, pues realmente parecía que nos hubieran transportado a un set de cine que representaba otra época. Un par de veces, Michael me pasó algo y nuestras manos se tocaron, y parecía estar mirándome con la misma intensidad que en el avión. Yo lo miraba brevemente y sonreía. Esperaba que captara el mensaje. Nada iba a suceder.

Después de la cena, nos invitaron a todos a ir a sentarnos sobre los bancos de cemento que rodeaban el campo. Una vez que todo el mundo estuvo sentado, se apagaron las luces y se encendieron unos reflectores en el fondo del campo, iluminando el cielo. Empezó a sonar música a todo volumen por los altavoces que había en cada extremo, llenando la noche con los sonidos más gloriosos.

–Es *Carmina Burana* –me explicó papá, acercándose detrás de mí–. Una de mis piezas preferidas.

A medida que la música resonaba, también se ponían en movimiento los cascos de los caballos, y de pronto el campo se llenó de luz de reflectores, iluminando un espectáculo asombroso. Los caballos y sus jinetes vestidos con atuendos tribales galopaban por el centro. Al hacerlo, desplegaban un espectáculo de acrobacia, balanceándose a un lado y otro del caballo, siempre a una velocidad que quitaba el aliento observarlos. Y después montaron de a cuatro, cinco o seis por caballo. Luego de la acrobacia, otro grupo de jinetes empezó a avanzar al galope, gritando y blandiendo sus fusiles en alto. Al llegar al extremo del campo, todos dispararon sus fusiles al cielo, con lo cual Becca se sobresaltó mucho. Traté de filmarlo, pero la experiencia era tan asombrosa que, al cabo de un rato, dejé la cámara para seguir mirando.

Después del espectáculo de los caballos, las luces se atenuaron y se encendió una iluminación más suave, al tiempo que un grupo de bailarinas atravesaba el campo con sus movimientos ondulantes.

Arriba, apareció una alfombra mágica que parecía surcar el cielo llevando a un príncipe y a su princesa.

Y, de pronto, todo terminó. Se apagaron las luces y nos quedamos allí de pie, mirando la luna llena y las estrellas.

Al menos, yo pensé que había terminado. Con un estruendo ensordecedor, el cielo estalló con el brillo de cientos de fuegos artificiales. Todas las caras se alzaron hacia el cielo y, al levantar yo la mía, sentí que unas manos me tomaban de la cintura por detrás.

Era Michael.

Con el cielo encendido y la música a todo volumen, Michael me hizo girar para enfrentarlo, me tomó del mentón, deslizó la mano hacia detrás de mi cabeza y me atrajo hacia él.

Y entonces me besó en los labios.

11
Playboy del mundo occidental

Ollie me acorraló apenas llegué al hotel. Apestaba a cerveza.

–¿Qué pasa con Cat y Jamie? –me preguntó, de mal humor.

–No sé. Pregúntaselo a Jamie. Es tu amigo.

Ollie gruñó.

–Hm. Voy a quedar como un imbécil. Mi mejor amigo se mete con mi novia.

–¿Tu novia? Eh... baja a la tierra. ¿Desde cuándo?

–Siempre me ha gustado Cat. Ya lo sabes.

–Y también otras mil chicas. ¿Qué me dices de aquella chica de Londres?

–Yo nunca mentí acerca de cómo soy.

–Eso es cierto. Entonces la culpa es tuya –repuse–. Tú elegiste ser el playboy del mundo occidental. Es decir, le has dicho mil veces a Cat que ella te gusta pero que no quieres compromisos.

–Y es verdad. No quiero compromisos. Y Cat tampoco debería quererlos. Nos perdemos de muchas cosas si nos atamos a nuestra edad. Y eso va para ti también. Sabes que le gustas a Michael, ¿no?

– Ah, ¿sí? –pregunté, con la esperanza de parecer más indiferente de lo que me sentía.

–Sí. Pero tú sólo tienes ojos para ese Zoom. Cat salía con Zoom, ¿sabes? Tú deberías salir con más chicos. Vivir un poco. No tienes que atarte siendo tan joven. Es decir, apenas tienes... ¿cuántos años?

–Catorce. ¿Estás borracho?

–Todo el mundo debería pasarla bien. ¿Dónde está Cat?

Reí.

–Ollie, eso de "no quiero compromisos" no se aplica sólo a Ollie Axford, ¿sabes? Tal vez ella te prestó atención y decidió seguir tus consejos, y por eso está con Jamie.

Hubo un asomo de confusión en la cara de Ollie.

–¿Eh? Pero yo me refería a que *ella* no tenía que esperar que *yo* me comprometiera con ella. No a que ella debería salir con otros. Es obvio.

–Pobre Ollie. Y tú esperabas que Cat se quedara sentada, esperando que tú te dignaras mirarla. Tiene su propia vida, ¿sabes?

–Sí. Hm... –dijo Ollie. Empezó a alejarse, ofendido, pero regresó– Ella me quiere a mí, ¿sabes? –dijo, arrastrando las palabras–. Me quiere a mí...

Se fue por el pasillo caminando en zigzag y esperé que tuviera el buen tino de ir derecho a la cama, pues Ollie no suele beber mucho. Al menos no me hizo ninguna pregunta incómoda sobre Michael, pensé, pero luego, conociendo a Ollie y sabiendo lo egocéntrico que puede ser a veces, probablemente ni se había percatado de que su amigo había besado a su hermana delante de sus narices.

Seguí hacia mi habitación, revisé el celular por si había algún mensaje de Zoom (no había ninguno), me acosté y me dormí en cuestión de segundos.

Al rato, alguien trataba de despertarme con suavidad.

–Lia, Lia...

Era Cat. Me incorporé en la cama y me froté los ojos.

–¿Qué...?

Se sentó a los pies de mi cama.

–¿Y? –me preguntó.

Becca apareció tras ella y fue a sentarse del otro lado.

–Sí. ¿Y? –me preguntó.

Sabía que no iba a salvarme de aquello. Había podido evitar preguntas por parte de mi hermano, pero no podía salvarme del interrogatorio de mis dos amigas.

–Lo mismo les pregunto a ustedes –respondí–. ¿Dónde estaban? Hace muchísimo que me acosté.

–¿Qué pasó con Michael? –preguntó Becca–. Te vimos bes...

–No, en realidad, no...

–Pues a mí me pareció que sí –insistió Becca–. Me moría por venir a preguntarte pero Henry quiso ir a... eh... a caminar un poco.

–Y tú, ¿qué excusa tienes, Cat? –le pregunté.

–Hablas como mi papá –dijo, con una sonrisa–. Eh... Jamie. Caminamos a la luz de la luna. Ya te imaginas.

–Sí, y Ollie también. No está nada contento. Me acorraló cuando llegué y estaba de muy mal humor.

Cat se encogió de hombros.

–Ollie siempre dejó bien claro que quiere ser libre. Los dos podemos jugar de la misma manera. En realidad, no. Yo no estoy jugando. Me gusta Jamie. Es una excelente compañía y, como siempre dice Ollie, no tenemos una relación seria, de modo que eso significa que yo también soy libre. Además, Jamie besa muy bien.

–Qué importan Ollie y Jamie –dijo Becca–. ¿Y Michael? ¿Y Zoom?

–Empieza por Michael –propuso Cat–. Volvió a encontrarte sola. Lamento no haberte acompañado más en la Fantasía, pero todo fue tan...

–Tú no tuviste la culpa –la interrumpí–. Tienes otras cosas en que ocuparte. Entonces... bueno, sí, Michael. Es un gran tipo y me dio muy buenos consejos acerca de mi confusión sobre lo que quiero hacer cuando termine la escuela.

–¿Consejos? ¿Confusión? –me interrumpió Becca–. ¿Cuándo fue eso?

–En el autobús –respondí–. Me aconsejó mientras volvíamos en el autobús.

–No. Me refiero a la confusión. ¿Qué confusión? –preguntó Becca, que empezaba a verse muy confundida a su vez.

–La mía. Sobre lo que quiero hacer con mi vida.

–¿Tu vida? ¿Eh? No. Rebobina un poco –pidió Becca–. No importa lo de los consejos. ¿Y el beso?

–Pero sí me dio consejos –insistí–. Dijo que, si quiero ser veterinaria, debo pasar unas semanas trabajando en una clínica. Así pronto averiguaré si es para mí o no. Es lo mismo con cualquier trabajo. Primero hay que preguntar. Después, ir y hacer la prueba.

–Mmm, buen consejo –dijo Cat, acomodándose a los pies de la cama, y le arrojé una de mis almohadas–. Y él, ¿a qué quiere dedicarse?

–Quiere ser periodista. Pero al principio quería ser médico. Me hizo mucha gracia. Dijo que él pensaba que sería algo muy elegante, que podría andar por ahí pavoneándose con un uniforme blanco y que todo el mundo lo respetaría. Pero que la realidad es muuuuuy diferente. Se duerme poco, se trabaja mucho y no hay tiempo libre.

–Entonces, ¿quería ser médico sólo para aparentar? –preguntó Cat.

–Algo así –respondí.

Sabía que estábamos volviendo loca a Becca, sentada de su lado de la cama, mirándonos a Cat y a mí como quien mira una pelota de tenis pasar de un lado a otro de la cancha durante un partido. Sabía que iba a explotar en cualquier momento.

–Bueno, me alegro mucho de que se haya dado cuenta de que no era para él antes de que fuera demasiado tarde –dijo Cat–. Imagínate si fuera a verlo alguien con un dolor o una enfermedad y él le dijera: "Bueno, pero déme un minuto, necesito arreglarme el cabello. Y acuéstese allí, pero fíjese que, cuando me mire, pueda ver mi perfil bueno..."

Echamos a reír y por fin Becca no pudo más.

–¡Son las tres de la mañana y ustedes dos están ahí conversando sobre las perspectivas laborales de un chico! ¿Están locas? Es obvio que estuvieron bebiendo demasiado té de menta. Escuchen. Michael. Lo vimos besándote durante los fuegos artificiales. Y después a los dos, sentaditos en el fondo del autobús, muy cómodos, durante el regreso. Eso quiero que me cuentes. No me interesa si va a ser la estrella de *ER* o no, Lia. *Detalles*. Por favor. Siento como si me hubiera perdido un capítulo de mi telenovela preferida y ahora no sé lo que está pasando. –Se acomodó de costado y gimió–. No me hagas sufrir más.

–En realidad, no pasó mucho. De acuerdo, aquí va. Por un momento, un brevísimo instante, cuando Michael me besó, yo respondí. Fue sólo un segundo. Pronto me resultó evidente que, por mucho que me haya gustado en el pasado, no era lo mismo que besar a Zoom, entonces me aparté. Cuando me preguntó qué me pasaba, le dije la verdad. Le expliqué que estábamos bajo las estrellas. Y que, a muchos kilómetros de allí, estaba Zoom bajo las mismas estrellas, pero en el hospital. Distintos países, pero las mismas estrellas.

–Ahhh, qué romántico –dijo Becca.

–Y que no podía serle desleal –proseguí–. Que tenemos algo muy especial y yo no quería serle infiel.

–¿Cómo lo tomó Michael? –preguntó Cat.

–Se quedó callado un momento y al principio pensé que se iba a enojar conmigo, pero luego sonrió y me dijo: "Te felicito, Lia". Dijo que me entendía y que incluso me admiraba por ello. Dijo que Zoom es un tipo muy afortunado y que ojalá él pudiera encontrar a alguien que le fuera igualmente fiel en las circunstancias en las que habíamos estado. Supongo que se refería a estos días. Digo, a todos los lugares fabulosos donde hemos estado estos dos días. Yo sabía a qué se refería. A veces no fue fácil pero, en cierto modo, todo sirvió para hacerme comprender lo fuertes que son mis sentimientos por Zoom.

–Vaya –dijo Becca–. Tú y Zoom son almas gemelas.

Había sido fantástico lo de Michael. Y triste, en cierto modo. Repasé los últimos momentos en mi mente. No quise contar a Cat y Becca todo lo que él había dicho porque sentía que era algo privado entre él y yo. Michael me había apoyado una mano en el hombro y me había mirado a los ojos.

–¿Tú y yo? –había dicho–. Mal momento, supongo. Debería haber aprovechado cuando tenías nueve años y estabas enamorada de mí...

–¿Cuando tenía nueve años? –repetí–. Entonces, ¿sabías que estaba loca por ti? Dios mío, noooo. Qué vergüenza.

–No. Eras muy dulce. De veras. Y el año pasado, cuando volví a verte. Toda crecida. ¿Te acuerdas de cuando vine con Usha? Uf. Me volvió loco contigo pero le juré que nunca había pasado nada. Pero... bueno. Otra vez será, ¿eh? ¿Tal vez en unos años?

–Nunca se sabe.

Michael se había inclinado y me había dado un beso en la mejilla.

–Más adelante.

Yo había tomado su mano y la había apretado con afecto.

–Más adelante.

Cat y Becca se pusieron de pie e iban a prepararse para acostarse cuando hubo un ruido en la puerta. Se oyó como si alguien se hubiera caído en el pasillo, frente a nuestra habitación. Becca fue a ver qué o quién había sido y, al abrir la puerta, estaba Ollie, de rodillas, con el pelo todo revuelto.

–¿Y Ca...? –balbuceó.

Cat se escondió deprisa detrás de la cama.

–Ah –dijo Becca–. Está acostada. Y te sugiero que tú también te vayas a dormir.

–Ella me quiere, ¿sabes? –dijo, con su sonrisa de costado.

–¿Has estado bebiendo? –le preguntó Becca, asumiendo su pose de celadora.

–Sí... no... un *poguito*...

–Eres un chico muy malo, Ollie Axford. Ahora vete a dormir.

–De acuerdo, *bero*... Cat... Ella quiere estar conmigo, ¿sabes?

Cat y yo nos esforzamos por contener una carcajada, pues Ollie estaba hablando de una manera muy graciosa.

–Sí. Claro que sí –dijo Becca–. Ya lo sé. Cat quiere estar contigo. Pero ahora no. Ahora vete a dormir.

–Ella me *guiere*, ¿sabes?

–Vete ya, Ollie. Pórtate bien.

Ollie se sentó sobre los talones.

–¿Tú me quieres? –preguntó.

–Claro. Todos te queremos, Ollie. Ahora vete a dormir.

–¿Quieres venir conmigo?

En ese momento decidí que tal vez Becca necesitaba ayuda.

–Quédate aquí –susurré a Cat, y salí al pasillo. Ollie se había tendido de costado y estaba acurrucado, listo para dormir allí mismo.

–*Togos me guier*... murmuró, y se llevó el pulgar a la boca como un bebé.

–Playboy del mundo occidental –dije.

–Trae la cámara –susurró Becca.

Volví a entrar en puntas de pie, busqué la cámara y, deprisa, le tomé una foto.

–Será un material excelente para chantajearlo –reí.

–Sí –susurró Becca–. Podríamos subirla a internet con una nota que diga: "¿Alguien reconoce a este chico?"

Ollie empezó a moverse y estiró la mano hacia mis tobillos.

–Cat...

Le hice una seña a Becca; ella se colocó frente a Ollie y lo tomó por una de sus muñecas. Yo lo tomé por la otra y entre las dos logramos arrastrarlo hasta la habitación de los muchachos, donde golpeamos y lo dejamos apoyado contra la puerta como una marioneta sin sus cuerdas.

12
Essaouira

–Hola, Zoom. Habla Lia otra vez –dije por mi celular–. Por favor, llámame apenas puedas. Te echamos mucho de menos y querríamos que estuvieras aquí. Espero que te sientas mejor. Todos te mandan cariños.

–Todavía debe estar en el hospital –dijo Cat desde el otro lado de la mesa, donde estaba untando un panecillo con mermelada–. Si no, habría llamado.

–Además, no puede ir afuera para hablar por su celular –recordó Becca, bebiendo un sorbo de su jugo de naranja recién exprimido–, no con la pierna fracturada.

–Supongo que es eso –respondí. Pero por dentro sentía que algo andaba mal. Estaba a punto de llamar a los padres de Zoom cuando mamá llegó a nuestra mesa.

–Hola, mamá. ¿Dónde están todos esta mañana? –pregunté, señalando el comedor medio vacío.

Mamá rió.

–Algunos están con resaca y aún no se levantan. Otros ya se fueron de excursión a las montañas. Y los demás se están preparando para Essaouira.

–¿Y Ollie?

–Aún no reacciona –respondió mamá–. Que le sirva de lección. Muchacho tonto.

–¿Estás enojada con él?

Mamá se encogió de hombros.

–Aprenderá por las malas. Al fin y al cabo, ya tiene casi dieciocho años –dijo–. Aunque parece que no fue el único que bebió un poco de más anoche. Jamie y Henry tampoco parecen muy despiertos todavía.

–Pero pensé que los chicos irían a las montañas.

Mamá meneó la cabeza.

–El guía salió hace más de una hora con los invitados que estaban listos para esa excursión. No, creo que Ollie, Henry y Jamie no saldrán de su habitación esta mañana.

–¿Y Michael?

–Él está bien. Vendrá a Essaouira con nosotros. Qué buen chico es, ¿no?

–Tú también no, mamá.

–Yo también no ¿qué?

–Michael. Casi toda mi familia está insinuando que Michael y yo deberíamos salir o algo. Tú, Ollie, papá. Yo estoy con Zoom. A veces pienso que no toman eso en serio.

Mamá me apoyó una mano en el brazo.

–No es cierto. Zoom también es un buen chico y no estaba insinuando nada acerca de Michael. Es sólo que... bueno, aún eres muy joven, Lia, y hay tantos chicos con los que podrías salir...

–Totalmente de acuerdo –intervino Becca–. Cuantos más, mejor.

Fue Cat quien me defendió.

–Sí, pero Lia y Zoom tienen algo especial –dijo.

En ese momento, entró Michael y saludó desde el otro lado del comedor. Le respondí el saludo. Esperé que no hubiera problemas si pasábamos el día juntos. Si bien la noche anterior se habían aclarado las cosas entre nosotros, aún no estaba segura de poder estar totalmente cómoda con él. Sin embargo, de una cosa me había dado cuenta, y era que Zoom tenía razón: Michael y yo veníamos del mismo ambiente y nos parecíamos mucho. Y justamente por eso jamás nos llevaríamos bien como pareja. Nos parecíamos demasiado. Como dos gotas de agua. Muy aburrido. Zoom y yo éramos como el agua y el aceite. Él era sociable. Yo, callada. Éramos un caso clásico de atracción entre opuestos. De todos modos, pensé, era el último día del viaje y esa misma noche estaría de regreso con Zoom, con lo cual quedaría atrás cualquier posibilidad de un encuentro peligroso con Michael Bradley en un ambiente romántico.

Salimos hacia la costa media hora más tarde y el viaje demoró casi dos horas. Yo hubiera preferido quedarme en Marrakech, pero sabía que a Zoom le habría encantado ver Essaouira, pues allí se habían filmado una cantidad de películas, entre ellas *Otelo, Cruzada, Troya* y *Alejandro Magno.* Tenía que ir por Zoom y tomar las fotos que pudiera para él.

Pasamos un día espléndido. Después del bullicio y el ajetreo de Marrakech, fue el contraste perfecto. Essaouira era un lugar más apacible, con clima más fresco por la brisa que soplaba desde el Atlántico y atravesaba la maraña de callejuelas dentro de la ciudad amurallada. Fuera de las murallas, había un bonito puerto pesquero y, a la izquierda, una larga y amplia playa de arena. Luego de un fabuloso almuerzo de pescado fresco en un restaurante frente al mar, caminamos por la orilla y luego exploramos los mercados y puestos callejeros, mientras papá intentaba ver si reconocía algo de su niñez. No tuve que preocuparme porque Michael estuviera con nosotros. Se portó perfectamente bien. Conversó mucho con mamá y papá y se mostró amigable conmigo, pero ya no me dirigía aquellas miradas intensas como al comienzo del viaje. Creo que había aceptado que nada iba a suceder entre nosotros.

Una de las razones por las que me gustó mucho la ciudad era que por todas partes había gatos y gatitos. En todas las esquinas, debajo de las mesas, debajo de las sillas y tendidos al sol, ¡parecía haber tantos gatos como personas! Y todos bien cuidados, pues más de una vez vi que la gente les ofrecía trocitos de pescado.

–Eso es exactamente lo que tengo ganas de hacer –dijo mamá, cuando vimos un gato blanco y marrón-anaranjado tendido al sol, de espaldas sobre un muro blanco.

A media tarde fuimos a la zona de la fortaleza a explorar y, mientras los demás iban a mirar las vasijas que se vendían en una de las arcadas, tomé algunas fotos de la hilera de cañones antiguos alineados sobre la muralla del castillo. Me asombró ver que quedaban tantos en pie. Me senté sobre el muro junto a uno de los cañones y saqué mi celular para ver si había mensajes. Había un mensaje de texto de Ollie: %*@:-(PERDÓN (significa "tengo resaca y me duele la cabeza"), pero nada de Zoom. Decidí llamar a su casa para ver si podía averiguar algo con su mamá.

La Sra. Squires atendió de inmediato.

–¡Lia! ¿Eres tú? ¿Ya volviste?

–No, aún estoy en Marruecos.

–¡No! Asombroso. ¿Estás llamando desde Marruecos?

–Sí. Quería saber cómo está Zoom.

–Bueno, mucho mejor desde que volvió a casa. En el hospital se estaba volviendo loco de aburrimiento…

–¿Está en casa? Pero... ¿cuándo?

–Lo trajimos ayer por la tarde.

–¿Puedo hablar con él?

–Claro. Le llevaré el teléfono.

La línea quedó en silencio unos minutos y luego volvió la Sra. Squires.

–Lia, querida. Dice que hablará contigo cuando vuelvas.

–Pero ¿por qué no quiere hablar conmigo ahora?

–Está en el baño de abajo. Probablemente te llame cuando salga.

–Ah. Bueno. Pero ¿él está bien? –le pregunté.

–Sí. Está muy bien –respondió la Sra. Squires–. No te preocupes. Disfruta el resto de tu paseo.

Cuando corté la llamada, me sentía confundida. ¿Por qué Zoom no me había llamado ayer, apenas salió del hospital? Le había dejado muchos mensajes pidiéndole que me avisara cuando lo dieran de alta. Sabía que en el hospital no se permitía el uso de celulares y que jamás lo dejarían llamar a Marruecos desde allí, pero si estaba en su casa, podría haberlo hecho. Y yo habría podido enviarle fotos por teléfono. Le habría encantado el aspecto agreste de Essaouira; era el sueño de todo director de cine y, ahora que lo conocía, entendía por qué habían filmado tantas películas allí. Zoom sabía que podía enviarle fotos desde mi celular. ¿Por qué no quería ver dónde estaba? Tuve una sensación horrible en el estómago y, aunque el sol estaba muy fuerte, sentí un escalofrío. No era buena señal. Algo había pasado.

Más tarde, mientras regresábamos a Marrakech, no podía pensar en otra cosa que en llegar a Cawsand para ver a Zoom. Revisaba mi celular cada cinco minutos y él seguía sin llamar. ¿Por qué no lo hacía? Había pasado varios días en cama, quizá fuera eso. Había tenido muchos días para pensar. En nosotros. Había tenido espacio para pensar en lo que quiere y adónde quiere ir. Tal vez se dio cuenta de que está aburrido de mí. De que quiere otra cosa. Siempre está diciendo que quiere nuevas experiencias. Que tiene que tenerlas para ser un buen director de cine. Tal vez se dio cuenta de que no tengo nada más que ofrecerle y de que podría estar mejor con otra. Podría encontrar una chica que tuviera talento y ambiciones como él. Alguien que le interesara. Quizás él también había estado pensando como mamá, y había decidido que éramos demasiado jóvenes para estar atados habiendo todo un mundo de chicas con las que podría estar saliendo. Me sentí frustrada al estar tan lejos de él. En otro huso horario, en otro país. Sin saber qué estaba pensando él.

Cuando llegábamos al hotel, Ollie y Jamie venían hacia nosotros por el costado del camino angosto. Los dos divisaron a Cat en el asiento de atrás y, cuando el auto frenó, Ollie adoptó una expresión trágica, abrió los brazos y se arrojó sobre el capó. Entonces Cat se echó a reír. Sin que Ollie lo viera, Jamie posaba tras él como si fuera una prostituta. Frunció los labios, se apoyó de un lado de su cadera, se levantó una pierna del pantalón para mostrar el tobillo y luego meneó la cadera, hizo una caída de ojos al desconcertado chofer y le hizo una seña con el pulgar como si pidiera un aventón.

Cat y Becca lanzaron una carcajada, y Ollie se extrañó, sin entender qué las había distraído de su actuación y por qué reían tanto. Por un momento, sentí pena por mi hermano tan apuesto. Será muy atractivo y como un imán para las chicas, pero cuando un chico puede hacerte reír como Jamie, los muchachos como Ollie pierden terreno. Me pregunté si Ollie alguna vez se sentía como yo. Como si no tuviera mucho que ofrecer. Eché un vistazo atrás para verlos mientras el auto volvía a arrancar. No. Dudaba de que Ollie sintiera eso alguna vez.

Apenas bajamos del auto, subimos a empacar para luego ir al aeropuerto y ¡adiós, Marruecos!

Una hora más tarde, estábamos en el cielo, rumbo a casa. Había sido un viaje deslumbrante y todos decían que lo habían pasado como nunca. Mamá, papá, Cat, Becca, Meena. A todos les había encantado y lamentaban tener que irse de Marruecos. Parecía que yo era la única que estaba ansiosa por volver a casa.

En el aeropuerto, ya en Inglaterra, nos esperaba un transporte en la pista: Cat, Becca y yo nos acomodamos en el asiento trasero mientras mamá y papá se sentaban en el medio y Meena, adelante, con el conductor.

Apenas nos pusimos en camino, volví a intentar comunicarme con el celular de Zoom.

Seguía apagado. Su silencio me estaba matando.

–¿Aún no puedes comunicarte? –me preguntó Becca. Meneé la cabeza.

–Prueba con el número de su casa –sugirió Cat–. Seguro que su mamá está allí.

Marqué el número y al cabo de unos segundos atendió la Sra. Squires. Espero que no le moleste que llame tan seguido, pensé, y otra vez le pregunté cómo estaba Zoom.

–Le preparamos una cama en la sala –respondió –. Para que no tenga que subir y bajar la escalera. Es más fácil para todos. Le llevaré el teléfono. ¿Ya estás de vuelta?

–Acabo de aterrizar –respondí–. Lo llamé a su celular, pero sigue apagado. Entonces, ¿está bien?

–Sí. Muy bien. Un poco cansado. Espera un segundo.

Contuve el aliento y rogué que esta vez me atendiera. Mientras esperaba, no pude evitar la ansiedad. No te enloquezcas, pensé, se trata de Zoom. Tu novio. ¿Por qué te pones tan nerviosa?

Un momento después, oí la voz de Zoom al otro lado de la línea y suspiré, aliviada.

–Hola.

–Hola, Zoom –le dije–. Soy yo. Lia.

–Hola. Estás de vuelta.

–Sí. Acabo de llegar. Te llamé apenas pude.

–Oye, no era necesario. ¿Cómo te fue?

–Excelente. Traté de llamarte, pero tienes el celular apagado.

–Lo sé. Siempre lo dejaba en alguna parte donde no lo alcanzaba, y me costaba tanto levantarme para atenderlo que finalmente lo dejé apagado.

–Quería ir a verte, pero mamá dice que llegaremos muy tarde. Probablemente no antes de las once.

–Bueno, no pienso ir a ninguna parte en la próxima semana.

–Pasaré a verte mañana después de la escuela. Tengo un montón de fotos para mostrarte.

–Ah, bueno. Genial. Gracias.

Era difícil saberlo sin verle la cara, pero no parecía entusiasmado por ver las fotos. Ni porque yo fuera a visitarlo.

–Tú... eh... sí quieres visitas, ¿no?

–Dios, sí. Sí. Claro que sí. Me he estado volviendo loco de aburrimiento y parece que hiciera más tiempo que estoy así, mucho más de una semana. Así que, sí, sería genial verlas a todas y saber cómo les fue. Seguro que a Cat y Becca les encantó, ¿no?

¿Vernos a todas? ¿Becca y Cat? No era mi imaginación. Zoom estaba distante conmigo. Empecé a sentir más y más urgencia por ir a verlo cuanto antes.

–Sí, les encantó. De acuerdo, mañana, entonces –le dije.

–Claro. No hay prisa. Si tienes otras cosas que hacer, yo tengo un montón de DVDs para entretenerme.

–¿Cuáles?

–*Kill Bill.*

–¿Uno o Dos?

–Las dos. No puedo hacer mucho más salvo repasar para mis exámenes y sentarme a ver películas. Papá me trajo un montón de la tienda.

–Y en casa tenemos muchísimas. Puedo llevártelas mañana.

–De acuerdo. Gracias.

–¿Quieres que mañana me quede a ver una película contigo?

–Sí. Claro, si quieres, pero ya vi la mitad de la primera, y estarás cansada después del viaje. Así que no te preocupes si no puedes.

Sé captar una indirecta, pensé. No quiere que vaya. Ya no quiere estar conmigo.

–De acuerdo. Hasta mañana, entonces –le dije.

Hasta mañana, entonces, pensé. Ja. Ojalá pudiera decirle lo que sentía, que era... Zoom, ¿qué pasa? ¿Me sigues queriendo? ¿Estamos bien? ¿Te has cansado de mí? Pero sabía que no podía. No sólo porque estaba en un vehículo con otras seis personas, sino además porque mi parte sensata sabía que ese tipo de conversaciones no se tienen por teléfono. Y otra parte de mí sabía que parecería desesperada y que nada desagrada más a un chico que una chica que se pone emotiva.

–Sí. Nos vemos –respondió Zoom.

Cerré el teléfono y miré por la ventanilla del auto hacia la oscuridad de la noche. Me sentía horrible, y hablar con él sólo había acrecentado mi sensación de pánico.

Cat me apoyó una mano en el brazo.

–¿Qué pasa? ¿Está bien?

Asentí y les conté a ella y a Becca mi conversación telefónica.

–Creo que quiere terminar conmigo –susurré para que mamá y papá no me oyeran–. Creo que todo terminó.

–No –dijo Cat–. No es cierto, yo creo que estás exagerando.

–¿Te parece?

–Sí. Las conversaciones telefónicas a veces engañan. Es más fácil saber lo que pasa cuando uno puede ver los ojos de la persona. Espera hasta que lo veas mañana.

–Supongo que sí... pero... No lo sé. Tengo la impresión de que se cansó de mí.

–Nunca –dijo Cat–. Zoom te adora. Estás paranoica.

–Es asombroso –dijo Becca–, porque cuando te conocí, pensé que lo tenías todo porque... bueno... lo tienes. Todo. Pero eres la persona más insegura que conozco. No sé por qué. Y, como dijo Cat, es obvio que Zoom te adora.

–No quiere que mañana me quede a ver la película con él.

–Ah, pero ahí también puede ser que estés exagerando –repuso Cat–. No olvides que conozco a Zoom desde mucho antes que tú y hay dos cosas que puedo garantizarte: una, que detesta depender de los demás y es probable que esté de mal humor por eso, y dos, que está pensando en ti. Es una de las personas más consideradas que conozco; de hecho, eso lo sabes bien, Lia. Tal vez sí quiere que te quedes pero sabe que estarás cansada después de la escuela. Yo lo estoy. Estoy agotada y hoy voy a dormir como un tronco.

–Yo también –respondió Becca; apoyó la cabeza en el hombro de Cat y pronto se durmió. Pasé el resto del viaje con la mirada fija en la noche y repasando mentalmente mi conversación con Zoom.

Apenas llegamos a casa, me fui a acostar.

Al despertar, me parecía que habían pasado dos segundos desde que había cerrado los ojos, pero no, ya era lunes y hora de ir a la escuela.

Me esforcé por concentrarme en las lecciones y en no pensar en que Zoom estaba muy cerca de allí. Resultaba extraño saber que estaba tan cerca y, aun así, tan lejos como cuando yo estaba en Marruecos.

–Busquemos a Mac –propuso Becca a la hora de almorzar–. Seguro que querrá saber cómo nos fue.

–Sí, y tal vez vio a Zoom y sabe cómo está –agregó Cat.

Encontramos a Mac en el salón de arte y se le iluminó el rostro al vernos.

–Vaya, si son las chicas de oro –dijo, al vernos entrar–. ¿Cómo les fue?

–Excelente –respondió Becca, mientras yo sacaba la cámara digital para mostrarle las fotos.

–Le conté a mi papá lo que me perdí –dijo, mientras le mostrábamos las fotos de la fiesta en la terraza–. Y me prometió que, si saco buenas notas en los exámenes, él mismo me llevará a Marruecos. Así que, después de todo, tal vez no me lo pierda. De todos modos, habría dado cualquier cosa por estar allá con todos ustedes.

–¿Crees que sea eso lo que le pasa a Zoom? –le preguntó Becca–. ¿Que está enojado porque se perdió el viaje? Lia dice que anoche lo notó un poco frío por teléfono.

–¿En serio? Yo lo vi ayer y estaba bien.

–Pues no lo estaba cuando hablé con él –repuse–. Y hoy no me llamó ni me envió ningún mensaje. ¿Te dijo algo? ¿Es por algo que hice?

–No me comentó nada.

–Bueno, ¿pasó algo mientras estábamos afuera?

–No que yo sepa –respondió Mac–. Zoom no puede hacer mucho con fractura de pierna y de clavícula, aunque sí mencionó algo acerca de una enfermera. Una enfermera traviesa... –Luego rió–. Es una broma, Lia. No hay ninguna enfermera. Al menos, no que yo sepa. Yo no me preocuparía. Ahora que lo pienso, creo que sí estuvo un poco decaído, pero ¿quién puede culparlo, si estuvo encerrado toda la semana? Ya conoces a Zoom: detesta sentir que no puede levantarse y hacer cosas.

En ese momento, mi teléfono avisó que tenía un mensaje.

Era de Zoom, y me preparé para leer que me pedía que no fuera después de la escuela.

INVÁLIDO NECESITA ENFERMERA JOVEN Y ATRACTIVA. FAVOR D VENIR C UNIFORME CTO ANTES Y TRAER FOTOS D VIAJE. ESP LAS D DESNUDOS.

–Pasó la crisis –dije.

13
Inválido

Zoom era el ídolo del momento. A juzgar por la recepción que tuvo cuando volvió a la escuela a mitad de la semana, cualquiera habría pensado que había vuelto de la muerte o que había marcado el gol decisivo en la final de la Copa del Mundo. Las chicas de séptimo y octavo año lo perseguían llevándole sus libros. Los chicos de undécimo año se ofrecían a llevarlo y traerlo del pueblo y pronto se organizó una lista de gente que lo transportaría a la escuela y de regreso a su casa durante los exámenes.

–Es muy popular, ¿no? –observó Becca el viernes durante el almuerzo, mientras estábamos sentados al sol en un muro, en el fondo del patio de la escuela.

–Sí, y lo está disfrutando –respondió Cat, observando cómo un chico pedía a Zoom que se detuviera porque quería firmarle la pierna enyesada–. Creo que casi toda la escuela le firmó ese yeso. Es una estrella como tu papá, Lia.

No me digas, pensé. Y se ha vuelto muy difícil encontrarlo solo. Zoom y yo no habíamos estado a solas desde mi regreso de Marruecos. Cada vez que iba a visitarlo, estaba allí alguno de sus mil parientes, que también quería ver las fotos de Marruecos. Zoom había guardado todas las fotos en su computadora y le gustaba mostrárselas a todo el mundo, como si él también hubiese estado allá. Había tantas cosas que quería hablar con él. Dudas persistentes y temores de que se hubiera cansado de mí, mi creciente paranoia. Sólo quería un momento para que él me tranquilizara y me dijera que seguíamos siendo una pareja.

Finalmente llegó hasta donde estábamos, dejó la mochila en el suelo, le dio las muletas a Cat y, lentamente, se acomodó contra el muro.

–¿Qué se van a poner para la fiesta del verano? –preguntó.

–Dios mío, se me había olvidado por completo –exclamó Becca–. Aún no me recupero de Marruecos.

–Bueno, mejor empieza a prepararte –dijo Zoom–. Falta casi una semana.

–Ojalá pudiera olvidarme de eso –repuse–. Mamá puso manos a la obra apenas volvimos. Tanto decir que no quería fiesta de cumpleaños y ahora no hay quien pueda detenerla.

–Sí, pero esta vez es diferente –dijo Cat–. No es para su cumpleaños. Conversé con ella sobre eso cuando estábamos en Marrakech. Una cosa es planear una fiesta para otra persona, pero en tu cumpleaños, quieres ser reina por un día y que otro se ocupe de todo.

Cat también sabía mucho sobre organizar fiestas. Como su mamá murió cuando ella tenía nueve años, a veces termina haciendo de madre sustituta de sus hermanos menores. Es ella quien les prepara los pasteles de cumpleaños y se asegura de que tengan regalos y tarjetas ese día. Tomé nota mentalmente de agasajar mucho a Cat en su próximo cumpleaños para que ella también pudiera ser reina por un día.

–Bueno, pues a mamá la atendieron como si fuera de la realeza en Marruecos –dije–. Y le encantó. Pero ahora está organizando una marquesina, ordenando comida, flores...

–Vestirse como un personaje de la obra, dice la invitación –recordó Zoom–. Bien. ¿Qué personajes seremos?

–¿Qué personajes? No tengo idea. No conozco la historia de *Sueño de una noche de verano* –respondió Becca–. ¿Quién la escribió? Fue Charles Dickens o Shakespeare, ¿no? ¿Uno de ellos?

–Shakespeare –respondió Zoom–. Escribió *Sueño de una noche de verano* entre 1594 y 1595, y puedo decirles todo lo que quieran saber porque es una de las obras que vimos para los exámenes. De hecho, si quieren, vengan a casa esta tarde. Puedo repasar la historia y los personajes con ustedes. Me ayudará para el examen. Es más, creo que tengo un DVD por ahí. Es una versión excelente. Michelle Pfeiffer hace de Titania, Rupert Everett es Oberón y Kevin Kline es el asno.

Becca puso los ojos en blanco.

–¿El asno? ¿Titania? ¿Oberqué? Vamos. No tengo idea de qué o de quién hablas.

–Es una historia genial –dijo Cat–. Te gustará, Becca. Se trata del amor y de relaciones que se complican. Hay un duende malo... bueno, quizá no tan malo, más bien travieso, llamado Robin, que anda por ahí poniendo una poción mágica en los ojos de las personas mientras duermen para que se enamoren del primero que vean al despertar. Pone un poco en los ojos de Titania (la reina de las hadas) y, cuando despierta, ve un asno y se enamora de él...

–Parece la historia de mi vida –dijo Becca–. Creo que iré vestida de ella.

–No se parece en nada a la historia de tu vida –replicó Cat–. Henry era agradable. Y Mac, también. ¿Cómo puedes decir eso?

Becca rió.

–Tal vez me da esa impresión a veces. Muchachos. Son todos unos tontos.

–Muchas gracias –respondió Zoom.

–De acuerdo. *La mayoría* de los chicos son tontos –se corrigió Becca–. Creo que iré a la biblioteca a ver si tienen la obra. ¿Quieres venir, Cat?

–Claro –respondió Cat, al tiempo que bajaba del muro para ir con ella. Apenas se fueron, Zoom señaló su mochila– Ey, ahí adentro tengo algo para ti. En el bolsillo de adelante.

Me incliné y encontré un sobre.

–Fotos de tu viaje –dijo, mientras sacaba el sobre de la mochila–. Las estuve retocando con Photoshop e imprimí algunas.

Saqué las fotos y las miré. Había ampliado algunas de mis tomas y destacado algunos aspectos.

–Guau, están fantásticas, Zoom.

–Sí, bueno, sacaste buenas fotos –dijo, y señaló una de mi mamá–. Pensé que a tu mamá le gustaría ésa; le disimulé todas las arrugas, aunque no es que tenga muchas.

Seguí mirando las fotos y llegamos a una de Ollie, Jamie, Henry y Michael. A excepción de Michael, todos reían de algo que estaba a la derecha de la cámara.

Michael, en cambio, me miraba directamente a mí con la expresión que había tenido en el avión, en la fiesta de la terraza y en Fantasía. Una expresión intensa, como si hubiese visto algo que deseaba. Mucho.

–Ése es Michael, ¿no? –preguntó Zoom.

Pasé la foto al final de la pila.

–Sí. Y Jamie y Henry.

Ya le había contado todos los chismes: qué pasaba con Cat, Ollie y Jamie. Y cómo a Henry le había gustado Becca. Cómo Ollie se había puesto de mal humor y había dejado de ser el hombre del momento. A propósito, no le había dicho nada de Michael, aunque aparecía en muchas de las fotos. No quería llamar la atención hacia él.

–No me contaste mucho de lo que hizo él en el viaje –insistió Zoom.

Asentí.

–No hay mucho que decir. Más que nada, estuvo con Ollie.

–¿Le gustó el viaje?

–Sí. Creo que sí.

–¿Se enganchó con alguien?

–No lo creo.

–Tal vez sigue con aquella chica india tan increíble.

Empezaba a sentirme incómoda. ¿Por qué Zoom me interrogaba? Sabía que tenía que ser muy cuidadosa con lo que decía y cómo lo decía, porque, como Zoom sabía muy bien, no sé mentir.

–No. Terminaron.

Seguí pasando las fotos con Zoom mirando por encima de mi hombro. Cuando terminé, él las tomó y volvió a pasarlas hasta llegar a la foto en la que Michael me miraba.

–Te está mirando directamente mientras sacas las fotos. Te mira fijamente. Creo que le gustas. La verdad, Lia. ¿Hubo… hay algo entre tú y este tipo?

Era la pregunta que tanto había temido. Dios mío, pensé, sintiendo que me encogía por dentro. ¿Qué puedo decir? ¿Qué debo decir? Cuanto más vacilaba, más parecía que tenía algo que ocultar. Respiré profundo y decidí decirle la verdad a Zoom.

–No. Es la verdad. Antes, sí. Al menos, de mi parte. Yo estaba loca por él. Hace años. Pero nunca llegamos a nada porque él me veía como la hermanita de Ollie. Una nena.

Zoom no apartaba la vista de la foto.

–¿Y ahora? No te está mirando como miraría a una criatura.

–Le dije bien claro que estoy saliendo contigo. No quiero a otro. No quiero a Michael. Quiero estar contigo. Ésa es la verdad.

Zoom se volvió, me tomó la mano y me miró a los ojos.

–¿Estás segura, Lia? ¿Estás realmente segura? Porque odiaría que te reprimieras por mí. Ese Michael es... es la clase de chico que tú mereces. Es de tu mundo...

–¡Mi mundo! ¿Qué mundo? Yo vivo en el mismo mundo que tú.

Zoom rió.

–No me digas. Abre los ojos, Lia. Podremos ir a la misma escuela, pero cuando volvemos a casa, no habitamos el mismo planeta.

–No es cierto. Sí lo hacemos. Dormimos. Hacemos la tarea para la escuela. Salimos con nuestros amigos. ¿Qué tratas de decir?

Zoom suspiró.

–Realmente no lo sé. Lo siento. Es sólo que... Necesito saber. ¿Pasó algo entre tú y este Michael?

Meneé la cabeza.

–No. Es la verdad. Y desde el comienzo le dije que estaba contigo y que el hecho de que él estuviera solo no significaba que yo también estuviera disponible.

–Ah. Entonces ¿sí trató de tener algo contigo?

–Eh... sí. No. En realidad, no. Es decir, nada importante, y le dije bien claro...

–¿Cómo trató de avanzar contigo?

–Ay, Zoom... ya sabes, con miradas... se sentaba a mi lado. Sinceramente, no hay nada entre nosotros. Y ¿sabes qué? El hecho de que él estuviera allá y tú no me hizo dar cuenta de lo especial que es nuestra relación. Porque lo es, ¿no?

Zoom quedó callado un momento.

–Sí. Muy especial. Es sólo que a veces... desearía... bueno, desearía tener más. Quisiera poder ofrecerte más. Quisiera que mi vida no fuera tan común y corriente.

–¿Tú? Pero si eres el más popular por aquí. No eres nada común y corriente. ¿No te das cuenta? Todo el mundo quiere estar contigo.

–Sí, pero... Ando en bicicleta. Seguro que Michael tiene un auto último modelo. Vivo en una calle secundaria en el pueblo. Tú vives en una mansión y seguro que Michael vive en un sitio muy bonito y elegante en Londres. Un lugar digno de alguien como tú. Seguro que él podría llevarte a muchos lugares...

–Zoom, no lo entiendes, ¿verdad? Yo no quiero eso. Si quiero andar en un auto último modelo, puedo. En el de mamá, papá, Ollie o Estrella. Sí, vivo en un lugar grandioso, pero esas cosas no me hacen feliz. Lo que me hace feliz es tener amigos, gente que me agrada y con la que me encanta estar. Entonces, bueno, creo que no me gustaría ser pobre, pero te aseguro que cuando llegué aquí me sentía muy sola. Allá, en nuestra casa espléndida con nuestras cosas espléndidas, y lo único que quería era tener alguien con quien conversar y divertirme. De todos modos, yo no te veo de esa manera, rico o pobre. Te veo como alguien con quien me encanta estar. Amo pasar el tiempo contigo. Me haces reír. Y ¿quién más podría haberme enseñado tantos lugares bonitos de esta zona? ¿Esas playas que nadie conoce? ¿Las mejores vistas? ¿Los paseos?

–Cualquiera que haya vivido aquí.

Le di un puñetazo.

–No. Tú conoces todos los mejores lugares. Los sitios secretos. Mira, si hay alguien común y corriente, soy yo. De acuerdo, la vida que llevo es excepcional, lo es mi familia, el lugar donde vivimos... pero ¿yo? Yo soy común y corriente. En serio. ¿Quieres saber la verdad? En Marruecos, me volví loca de preocupación pensando que podías estar aburriéndote de mí. Al ver que no respondías mis llamadas, pensé que iba a volverme loca. Y después, cuando volví y te noté tan distante por teléfono, ¿te acuerdas?

–Era por todos los analgésicos y antibióticos. En el hospital tuve una infección en el pecho, por eso me estaban bombardeando con medicamentos. No estaba distante contigo. Sólo que no estaba del todo en mis cabales.

–Y ¿por qué no atendías el celular?

–Ya te lo dije. Al principio, sonaba todo el tiempo y no podía levantarme a atenderlo por mi pierna, entonces pensé dejarlo en contestador, pero luego olvidaba dónde lo había dejado y no podía andar buscándolo, así como estaba...

Reí.

–Pensé que no querías hablar conmigo.

Zoom rió.

–Y yo me volvía loco imaginándote con el Súper Chico, y que ese tiempo que estaríamos lejos te daría espacio para darte cuenta de que no soy suficiente para ti.

Le di un inmenso abrazo.

–Ayyyyy –se quejó–. Con cuidado.

–¡Ah! Lo siento. Pero… qué par somos, ¿eh? Los dos preocupados por lo mismo. Entonces, ¿no quieres dejarme?

–¡Dejarte! Jamás –dijo Zoom–. Y tú, ¿no quieres dejarme a mí?

–Nunca.

–Seguro que a tu papá le gustaría. Seguro que querría que estuvieras con un tipo como Michael.

–Jamás. Creo que sólo quiere que yo sea feliz. Y tú me haces feliz.

Se inclinó y me dio un beso en la frente.

–Y tú, a mí.

Ninguno de los dos había notado que Mac estaba parado allí escuchándonos.

–Creo que voy a vomitar –dijo–. Ustedes dos dan asco.

14
¡Bien por Shakespeare!

–De acuerdo –dijo Zoom cuando Mac, Becca, Cat y yo nos acomodamos en el piso de la sala de su casa después de la escuela–. Aquí hay una lista de los personajes de *Sueño de una noche de verano* para que elijan.

–¿Quién vas a ser tú? –preguntó Cat.

–El que sea más alto, moreno y buen mozo –respondió Zoom.

Hmm. ¿Qué personaje elegirá? me pregunté. Y ¿qué pasará cuando se dé cuenta de que Michael Bradley también estará allí, pues todos los amigos de Ollie vendrán otra vez? Zoom suele hacerse amigo de todo el mundo, entonces ¿hablaría con Michael o lo ignoraría?

Mac se echó hacia atrás y observó el papel que Zoom le había entregado.

–Excelente, amigo –dijo–. Nos viene genial como repaso. Oye, Becca, mi esclava, pélame una uva.

–Pélatela tú mismo, amigo –replicó Becca–, yo no soy la esclava de nadie.

Zoom leyó de uno de sus papeles.

–De acuerdo. La obra transcurre en Atenas.

–O, en el caso de los Axford, en el jardín –intervino Mac.

–No me lo recuerdes –rezongué–. Los decoradores llevan días trabajando y, aunque vivo allí, siento que los estoy estorbando.

–Teseo –prosiguió Zoom–. Es el mandamás de la obra, el Duque de Atenas.

–Ése es el personaje de papá –dije.

–En ese caso, tu mamá tendría que ser Hipólita, su novia –repuso Zoom–. La obra empieza con ellos y están a punto de dar una gran fiesta para celebrar su boda, sin escatimar gastos, para que todo el mundo lo pase bien.

–Una fiesta digna de los Axford –observó Becca–. Y yo no diría que su jardín es un jardín; más bien, un parque.

–El caso es que viene este tipo llamado Egeo –prosiguió Zoom–. Es muy controlador y quiere que su hija Hermia se case con alguien que ella no quiere. En realidad, a ella le gusta un tipo que se llama Lisandro pero su papá quiere que se case con alguien llamado… eh…

–Demetrio –lo ayudó Mac–. Recuerdo esos nombres porque, cuando era pequeño, teníamos dos pececitos llamados Lisandro y Demetrio. Por aquel entonces, no sabía de dónde venían los nombres, pero cuando vimos la obra en la escuela me di cuenta de que habían sido una mala elección. Los dos pececitos eran hembras, y Lisandro y Demetrio son hombres. Pero lo peor de todo fue que Demetrio terminó comido por el gato.

–¿Cómo se llamaba el gato? –preguntó Becca.

–Rover.

–¿Rover?

–Sí. Éramos una familia muy complicada.

Cat puso los ojos en blanco.

–Qué locura. Y, Zoom, ¿qué pasa después en la obra?

–Hermia le dice a su papá: "Ni lo sueñes". No quiere una boda arreglada y, sobre todo, no quiere en absoluto casarse con Demetrio. Sin embargo, Teseo le recuerda que, según la ley, ella tiene tres opciones. Debe casarse con quien su padre quiera, hacerse monja o ser ejecutada.

–¿No hay opción de llamar a una amiga? –preguntó Becca.

–No.

–Uf. Qué mal –respondió Cat–. Creo que yo optaría por hacerme monja, en su situación. Antes que casarme con alguien a quien no quisiera.

–Aparece Helena, la mejor amiga de Hermia –prosiguió Zoom–, pero no se compadece mucho de ella. En realidad, está muy enojada con Hermia porque le gusta Demetrio y piensa que Hermia se lo quiere quitar. Pero no era eso, sino que él se había cansado de ella, o le anda con vueltas, o algo así.

–Buen tipo, Demetrio –dijo Mac–. Parece que no quiere compromisos.

–Se parece a Ollie –respondió Cat–. Algunas cosas no cambian nunca.

–"*El río del amor jamás fluyó tranquilo*" –dijo Mac.

–Ya lo creo.

–Eso dice la obra.

–¿En serio? –dijo Cat–. ¡Bien por Shakespeare!

–Bueno –dijo Zoom–. Lisandro y Hermia deciden fugarse y se escapan al bosque. Sin que ellos lo sepan, han acampado allí un grupo de hadas que están invitadas a la boda, y el Rey y la Reina de las Hadas han tenido una gran pelea, y entonces... aquí la cosa se pone interesante.

–Sí, Oberón –intervino Mac–, el Rey de las Hadas, está enojado con Titania...

–Que es la Reina de las Hadas –completó Becca–. Creo que deberías ser ella, Lia.

–Sí –concordó Zoom–. Dice aquí que es muy hermosa y grácil.

–Y tú deberías ser Hermia, Cat –dijo Mac–. Es la que tiene los pies sobre la tierra, la más sensata.

Cat hizo una mueca.

–Ah, suena divertida, pero no lo creo.

–¿Y yo? –preguntó Becca.

–Ah, Helena, sin duda. Es la casquivana, cabeza hueca –respondió Zoom.

Becca hizo pucheros.

–Gracias por tus palabras.

–Bueno, eso te pasa por haber dicho que todos los chicos son tontos –repuso Zoom.

–Mejor ten cuidado o te romperé la otra pierna –lo amenazó Becca.

–Bueno, pórtense bien, niños –dijo Cat–. O se irán a la cama sin cenar. ¿Quién más aparece en la obra? ¿Qué papeles hay para ustedes, chicos?

–Bueno, están Lisandro y Demetrio, claro –dijo Mac–. Además de todos los artesanos. Fondo, Membrillo, Ajuste, Hambrón y Flauta. FMAHF. Así trato de recordar los nombres para los exámenes. Con las iniciales. ¿Han notado que, hasta ahora, todos los nombres femeninos de la obra empiezan con H? Helena, Hermia, Hipocomosellame, la novia del Duque. Es muy confuso para recordarlos. Espero acordarme de los nombres el día del examen. LD. Lisandro, Demetrio.

Becca le palmeó el brazo.

–Sólo acuérdate de tus pececitos –le aconsejó–. Te irá bien.

Mac hizo una mueca.

–Eso espero. No veo la hora de que pasen estos exámenes, porque me estoy volviendo loco de estrés.

–Bueno, ¿qué pasa después? –preguntó Cat–. Y ¿quiénes son todos esos artesanos que mencionaste?

–Ellos forman parte de la trama secundaria. Son un grupo de tipos que se juntan para hacer obras –explicó Mac–. Como un grupo de teatro aficionado, y quieren hacer una obra especial para la boda real. Y, como pasa siempre en esa clase de grupos, hay uno que quiere hacer todos los personajes. En esta obra, es un tipo que se llama Fondo.

–¿Fondo? –preguntó Cat.

–Fondo –respondió Mac–. Imagínense si fuera mujer y se casara con un tal Pantalla.

–Sí, te estás volviendo loco –observó Becca.

–Ustedes ríanse –dijo Mac–, pero en mi escuela de Londres había una chica que se llamaba Dolores.

–Y ¿qué tiene eso de malo? –preguntó Cat.

–Que estaba de novia con un tal Cabeza. Iba a ser Dolores de Cabeza.

Cat y Becca bufaron.

–Prosigamos –intervino Zoom, adoptando un tono estricto de director de escuela–. Como les dije, Oberón y Titania han estado discutiendo y Oberón quiere vengarse de Titania, entonces le dice a su Duende Principal, Robin, que consiga jugo mágico de la flor del amor y lo frote en los ojos de Titania cuando esté dormida, para que se enamore de la primera persona que vea al despertar. Y luego ordena a Robin que se asegure de que la primera persona que vea sea un tipo muy feo. Robin obedece y, cuando ve a Fondo pavoneándose durante el ensayo, decide ponerle una cabeza de asno. Literalmente. Fondo, con su ridícula cabeza, se pierde en el bosque; Titania despierta y ¡bingo!, ve al asno, se enamora de él y lo invita a su cama de flores en los árboles. Oberón lo ve todo y le hace mucha gracia, porque Titania está perdidamente enamorada del asno y éste sólo quiere un cubo de avena y heno.

–Genial –dijo Becca–. Podría ser muy divertido tener esa poción.

–Bueno, ellos se divierten mucho –respondió Zoom–. Robin la pone en los ojos de Lisandro, que ve a Helena y se enamora de ella, y luego Robin la pone en los ojos de Demetrio, que vuelve a enamorarse de Helena. Ella piensa que todos se están burlando de ella y Hermia se enoja mucho porque cree que ya nadie la quiere.

–Qué lío –dijo Cat–. Creo que tú deberías ser Robin, Zoom.

–Sí, puede ser. O el asno –respondió Zoom–. No puedo ir como Demetrio ni Lisandro, ¿verdad? Es decir, ¿cuándo vieron a un dios griego con muletas?

La semana siguiente fuimos transportados al *Sueño de una noche de verano*, al estilo Axford.

El sábado, al caer la noche, Becca y Cat vinieron a mi casa a prepararse. Ya había pasado a ser una tradición que, para cualquier fiesta de mamá, ellas vinieran y nos vistiéramos juntas. Para mí, a veces era la mejor parte de la fiesta: probarnos ropa, zapatos, joyas y maquillarnos una a otra. Estaba muy agradecida por tener a Cat y Bec como amigas aquí, pues en años anteriores, cuando mamá organizaba alguna reunión, a menos que viniera alguna amiga de mi escuela de Londres, a menudo estaba sola y no tenía con quién hablar, no sólo antes sino también durante la fiesta.

–Mac acaba de llegar –anunció Cat mientras espiaba hacia el patio por la ventana del cuarto de huéspedes.

–¿Vestido de Demetrio? –le pregunté.

Cat asintió.

–Con piernas peludas y todo.

Becca echó un vistazo y luego rió.

–Alguien debería haberle dicho que las sandalias no quedan bien con calcetines. No importa. Igual luce bien.

–Vino anoche a buscar su disfraz –comenté–. Pensé que elegiría el de Demetrio porque se cree un rompecorazones.

–No con esos calcetines –dijo Cat.

–¿Qué personaje eligió Zoom? –preguntó Becca.

–Aún no lo sé –respondí–. No quiso decírmelo. Quiere que sea una sorpresa.

–Seguro que va a ser el asno –dijo Cat–. Ya saben cómo es. Cualquier cosa con tal de divertirse.

–"*Mi Oberón... soñé que estaba enamorada de un asno*" –citó Becca de la obra–. Es lo que dice Titania cuando despierta de su sueño.

–Excelente frase –dijo Cat–. ¡Cuántas chicas en todo el mundo habrán dicho algo parecido al despertar de un estúpido enamoramiento! Shakespeare todavía está vigente, ¿no?

–Sí –dijo Becca–. Pero supongo que en aquella época también tenían romances.

Empezamos a hurgar entre los disfraces que quedaban en el cuarto de huéspedes. Cat eligió un vestido griego y se lo entregó a Becca.

–Éste te iría muy bien –le dijo, mientras Becca lo sostenía delante de sí frente al espejo–. Muy elegante. Si te recoges el pelo, parecerás toda una diosa.

–¿Te parece? Debes darle las gracias a tu mamá, Lia, por traer todos estos disfraces para nosotras.

–No es nada –respondí–. No le cuesta nada porque su amiga Daisy Oldfield tiene una tienda de disfraces en Chelsea, entonces mamá la llama y ella le envía una camioneta llena de ropa.

–Agradécele de todos modos –dijo Cat–. No quisiera que piense que no nos damos cuenta. Ella siempre está ayudándonos.

–Lo haré, pero ustedes harían lo mismo en su lugar –respondí–. De todos modos, a ella le gusta hacerlo.

Mamá siempre era genial a la hora de elegir los disfraces para sus fiestas. Sabía muy bien que ninguno de mis nuevos amigos provenía de una familia adinerada y por eso, para ahorrarles un mal rato, siempre se encargaba de conseguirles una buena selección de disfraces. "Para los que no tienen tiempo de hacer compras o no tienen ninguna tienda de disfraces cerca", había dicho, con diplomacia, cuando llegó la camioneta de Daisy, el miércoles anterior a la fiesta.

–Bien –dijo Becca–. Elijamos, entonces. ¿Tú serás Hermia, Cat?

–No lo creo. Con mi pelo corto, difícilmente voy a parecer una linda griega, ¿no les parece? No, quiero ser Robin...

–Buena idea. Toma –dijo Becca; sacó un par de pantalones verdes y un jubón rojo y se los entregó–. Y tú, Lia, tienes que ser Titania, de modo que a mí me queda... ¿Voy como Helena, la casquivana cabeza hueca?

–Sin duda –respondió Cat, y Becca le dio un puñetazo juguetón en el brazo.

–Seguramente Estrella también irá como Titania –dije, revisando las perchas–. Estoy segura de que había dos disfraces de Reina de las Hadas cuando llegaron.

–No importa –dijo Cat–. Pueden ser hermanas hadas.

Becca sacó el vestido de Reina de las Hadas y lo sostuvo frente a mí. Era de chiffon verde pálido con lentejuelas plateadas cosidas en la falda. Muy bonito y elegante.

–Éste es ideal para ti, Lia –dijo–. Tiene tu nombre.

Me puse el vestido y, efectivamente, se veía genial, y además me quedaba perfecto. Pasamos la siguiente media hora probándonos diversos disfraces, pero al final nos quedamos con los que habíamos elegido originalmente. Después de peinarnos y maquillarnos, bajamos a reunirnos con los invitados que llegaban.

Cat lucía divina con su disfraz de duende travieso. Se había levantado el cabello con gel, se había puesto mucho negro alrededor de los ojos y lápiz labial púrpura, lo que le daba un aspecto de hada gótica. Becca era una diosa griega con su toga larga y el cabello recogido. Yo me puse el vestido de hada y llevaba el cabello recogido y con una tiara. Me sentía una *Barbie* total, pero las chicas me aseguraron que no me veía muy tonta.

Papá estaba al pie de la escalera vestido con su atuendo de Teseo: una toga corta y una corona de laureles en la cabeza. Levantó la vista y sonrió al vernos.

–Cuidado, chicos –dijo–. Ustedes tres están deslumbrantes.

–Usted tampoco está nada mal, Sr. Axford –respondió Becca.

No pude evitar reír. ¡Becca es tan coqueta que hasta flirtea con mi papá!

–¿Tienes idea de qué disfraces tienen los chicos? –le pregunté.

Papá meneó la cabeza. –Dijeron que querían darles una sorpresa. Pero supongo que se vestirán de dioses griegos para verse apuestos, y estas togas nos dan la oportunidad de mostrar las piernas.

Afuera, empezaban a llegar los autos, y los invitados iban pasando al vestíbulo y de allí al fondo, donde tendría lugar la fiesta. Las terrazas del fondo estaban increíbles. Mamá, que estaba vestida de diosa griega, había dado instrucciones a los decoradores de que crearan una gruta, y ellos habían esparcido cuerdas con lucecitas en los arbustos y árboles. Había columnas y estatuas griegas entre los arbustos y palmeras, y las mesas estaban adornadas con cántaros, flores y frutas. Los camareros (vestidos de sátiros) y las camareras (vestidas de hadas) servían bebidas y canapés con un fondo de música de flautas. Hasta Max y Molly tenían guirnaldas de hojas alrededor del cuello. El efecto general era encantador.

–Me siento como si estuviera en el país de las hadas –dijo Becca, mientras uno de los camareros le entregaba un cóctel sin alcohol.

–Yo también –respondió Cat, y miró alrededor–. Miren a la izquierda. Llegaron los chicos.

Miré hacia el arco de rosales a la entrada de la gruta y allí estaban Ollie, Jamie, Henry y Michael. Tal como lo había predicho papá, todos habían optado por las togas y se veían muy bien como dioses griegos. Estaban apuestos con sus músculos untados que resplandecían a la suave luz. Hasta algunas de las invitadas de más edad los miraban con codicia.

–No puedo creerlo –dijo Cat cuando llegaron hasta nosotras–. ¡Miren! Miren sus brazos y piernas. ¡Se afeitaron!

Ollie rezongó.

–¡Afeitarnos! Ojalá. No. Queríamos vernos totalmente como los personajes, entonces mamá nos reservó una cita en su salón de belleza. Venimos de allí. Nos depiló *con cera*. ¡Qué tortura! Nunca conocí un dolor como ése. Jamás volveré a quejarme de tener que afeitarme, ahora que sé por lo que pasan las chicas.

De pronto, Cat lanzó una carcajada y señaló las piernas de Jamie. Una estaba lisa; la otra, peluda.

–Dolía mucho –explicó, con una sonrisa avergonzada–. ¡No iba a soportarlo en las dos piernas!

–Hay que sufrir para ser hermoso –repuso Becca, y rió, porque los chicos realmente parecían un poco traumatizados.

Media hora más tarde, habían llegado todos los invitados pero aún no había señales de Zoom. Intenté ubicarlo en su celular, pero estaba apagado. Supuse que estaba en camino.

Y entonces oímos carcajadas adentro.

–Seguro que llegó Zoom –dije, esforzándome por mirar por encima de las cabezas de la gente–. Yo sabía que vendría vestido de asno.

Las risas se fueron acercando y una extraña figura hizo una entrada espectacular por el ventanal y salió a la terraza.

Era Zoom. No se había vestido de asno. Había venido como Titania, la Reina de las Hadas, todo maquillado, con una peluca castaño-rojiza, un gran vestido de falda amplia que le cubría la pierna enyesada y una boa de plumas de avestruz al cuello.

Cat echó a reír.

–Es el rey de la pantomima –dijo–. Brillante. Acérquese, Majestad.

–Queridas –exclamó Zoom al vernos en la terraza, y nos hizo un saludo majestuoso con su mano sana.

Miré a Michael Bradley con sus extremidades perfectas y lisas, y luego a Zoom, con su ridículo disfraz, los labios rojos y demasiado maquillaje.

Supe sin ninguna duda con quién prefería estar.

15
Crisis de verano

En el comienzo de la fiesta, todo estuvo fantástico y todo el mundo parecía estar pasándolo de maravilla. Corría el champaña para los adultos y el ponche sin alcohol para los adolescentes. Después de una cena fría, se despejaron las mesas de un sector, que se convirtió en pista de baile y empezó a brotar música a todo volumen de los altavoces colocados en los árboles. Por suerte, no teníamos vecinos y podíamos escuchar música al volumen que quisiéramos hasta altas horas de la madrugada sin que nadie protestara.

El disc-jockey empezó con una recopilación de canciones de los años sesenta, y después llegaron los setenta con el éxito *YMCA*, donde todo el mundo se vuelve loco y baila formando las letras con los brazos.

–Ah, esto me encanta –dijo Henry, saltando al compás de la música–. ¿Dónde está Becca, amor de mi vida?

–En el baño –le respondió Cat.

–Ah, entonces ven tú a bailar conmigo –repuso, y la llevó hacia la pista–. Y... M... C... A.

–Creo que estuvo tomando ponche –le dije a Zoom, mientras observábamos a Henry extendiendo sus brazos y piernas por todas partes.

–Sí –concordó Zoom–. Yo lo probé. Me parece que venía cargado con cierto ingrediente extra, cortesía de tu hermano.

–¿Qué ingrediente extra?

–Una botella de vodka –respondió Zoom–. Lo vi echándolo. ¿Quieres un poco? Está bueno.

Meneé la cabeza.

–Creo que seguiré con mi *Coca*. El alcohol siempre me hace doler la cabeza.

–¿Cat quiere quedarse con *todos* los chicos? –preguntó Becca cuando volvió y vio a Cat en la pista de baile–. Primero Ollie, luego Jamie y ahora, *Henry*...

–Me parece que no es lo que piensas –respondí–. Tú habías ido al baño, por eso la sacó a bailar a ella. Dijo que esta canción era una de sus preferidas.

Becca bufó y se dirigió, enfadada, a la zona del bar, donde bebió de golpe un vaso de ponche; luego buscó a Jamie, lo arrastró hasta la pista de baile y, cuando la música cambió y empezó una balada, empezó a bailar muy apretada a él.

–Epa –dije, observándolos.

–Sí. Epa –dijo Zoom.

Cat terminó de bailar con Henry y volvió a reunirse con Zoom y conmigo, y desde allí vio a Becca bien pegada a Jamie.

–¿A Becca ahora le gusta Jamie? –preguntó.

–No. Al menos, no lo creo. Te vio bailando con Henry y parece que se enojó...

Cat bufó y tomó a Ollie de la mano para ir a bailar con él.

–¿Qué les pasa a Bec y Cat? –me preguntó Zoom–. Pensé que Becca y Henry estaban juntos y que a Cat le gustaba Jamie.

–Yo también. Tal vez alguien les puso un poco de poción mágica en los ojos –respondí.

–Sí, puede ser –concordó Zoom–. Aunque creo que puede ser por el ponche. ¡Ponche! Ja. Más que ponche, debería llamarse puño, porque pega fuerte...

Empezó a hacer como si tirara puñetazos con la mano sana, una de sus muletas se zafó y Zoom casi resbaló.

–Ehhhhh –dijo, recuperando el equilibrio.

–¿Estás bien? –le pregunté–. ¿Cuánto ponche tomaste?

–Apenas tres vasos. ¿Quieres bailar?

–¿Bailar? Pero no puedes… tu pierna…

–Nada es imposible –respondió Zoom con una amplia sonrisa, y se fue cojeando hacia la pista de baile.

El baile de Zoom atrajo la atención de todos, y al rato la gente empezó a salir hacia el borde de la pista para observarlo. Y yo también, pues si me quedaba demasiado cerca, corría el peligro de que me clavara una muleta en el pie.

–Parece que inventó una nueva forma de baile –observó Michael, que apareció a mi lado.

–Lo sé. Y cuando tiene las dos piernas sanas, tiene todo un repertorio de bailes: hawaiano, español, alienígena, ruso, aunque dudo de que esta noche baile ruso. Al menos, espero que no lo haga, o terminará con las dos piernas rotas.

Michael rió, me rodeó con el brazo y me estrechó con afecto.

–Te gusta mucho, ¿no?

Asentí.

Michael me dio un beso en la frente.

–En Marruecos, te dije que Zoom era afortunado por tenerte, pero ahora entiendo por qué te gusta. Parece un gran tipo.

Le tomé la mano y se la apreté con afecto.

–Gracias, Michael –respondí–. Lo es.

Michael se alejó y volví a mirar hacia la pista de baile. Zoom había dejado de bailar y me estaba observando. Se acercó, cojeando.

–¿Qué fue eso?

–Sólo Michael, diciéndome que le parecías un gran tipo.

–No me digas. ¿Y por eso te dio un beso?

–¿Beso? Eso no fue un beso de verdad. Fue un besito. Un besito amistoso. Creo que se alegra de que yo esté contigo.

Zoom apartó la mirada y no pude verle la cara, pero sentí que me hervían las entrañas. No me creía.

–Te estoy diciendo la verdad, Zoom. Dije que te diría la verdad y eso estoy haciendo. Vamos, no estés celoso. No tienes ningún motivo para estarlo...

Zoom respiró hondo y se volvió hacia mí.

–Lo siento. Es sólo que... No puedo evitar sentir celos y... ufff... Sé que esta noche parezco un tonto al lado de esos dioses griegos de allá.

–Y por eso mismo te quiero. Estás diviiiino –le dije, y le di un enorme beso en sus labios escarlatas.

–Lo siento –dijo–. Lo sé. Soy un imbécil. Yo... Creo que una parte de mí aún no puede creer que estés conmigo.

–Estás loco. Sin duda, eres el tipo más interesante que hay aquí esta noche.

Zoom miró el vestido que llevaba puesto, se ajustó los senos postizos y se echó el cabello rojizo hacia atrás por encima del hombro.

–¿Te parece? –preguntó, con aire muy femenino.

–Sin duda –respondí–. Y taaaaan masculino.

Cat se acercó y me dio un codazo.

–Escuchen, George ha recopilado una película con diapositivas de Marruecos. ¿Quieren verla? La pasan en la biblioteca.

–Uy, no podemos perdernos eso –dijo Zoom–. A ver cómo son con respecto a tus fotos. ¿Vienes?

–Sí, claro. Asentí y los seguí a él y a Cat al interior de la casa.

La película ya había empezado y había imágenes de Marrakech en la pantalla. Había algunas tomas muy buenas. El hotel. La fiesta de la terraza. Varios retratos de los invitados. Todo el mundo divirtiéndose.

En la oscuridad, tomé la mano de Zoom.

–Cómo deseaba que estuvieras allá. Sinceramente espero que me creas.

–Ahora te creo –respondió–. Y lamento lo de antes.

Aparecieron unas tomas vibrantes del mercado. Puestos que vendían especias, joyas, vasijas, cajas de cedro y hierbas aromáticas. Y luego vino una serie de fotos de la noche de Fantasía. Los hombres bereberes, los caballos, las chicas con sus pétalos de rosa, las tiendas, los artistas y luego una parte del final. Los invitados mirando el espectáculo final. Los caballos a la carga. Los fuegos artificiales que iluminaban el cielo.

Y entonces me quedé helada de horror.

En la pantalla había una toma de la multitud. Caras levantadas hacia el cielo, con excepción de dos personas a la izquierda.

Michael y yo.

Yo tenía los ojos cerrados y Michael me estaba besando. Sin lugar a dudas. En los labios.

Zoom y yo quedamos boquiabiertos mientras la imagen se desvanecía y daba lugar a la siguiente.

–No, Zoom, fue… déjame explicarte...

Pero él ya se había levantado y estaba acomodando las muletas bajo sus brazos.

–Así que la verdad, ¿eh? Y supongo que vas a decirme que *eso* también fue un besito inocente…

–No. Sí... Por favor…

Pero Zoom ya estaba de pie y tratando de pasar entre los invitados reunidos allí. Me puse de pie y lo seguí. Llevaba tanta prisa por salir que tropezó con el bolso de alguien y se cayó. Una docena de invitados se apresuraron a ayudarlo, incluido Michael, que había estado atrás mirando la película. Me sentí horrible al verlo caído delante de mí. Se lo veía muy indefenso, tirado en el suelo. Me miró con una expresión que era una mezcla de dolor, vulnerabilidad y acusación.

–Estoy bien –dijo, esforzándose por levantarse–. Estoy bien.

Pero no lograba ponerse de pie solo. Necesitó las manos que se extendieron para ayudarlo y me di cuenta de que detestó cada segundo mientras cuatro sujetos lo levantaban. George era uno de ellos.

–¿Adónde vas, amigo? –le preguntó.

–Afuera... –balbuceó Zoom–. A casa. Tengo que ir a casa. Al estacionamiento. A casa.

Busqué a Cat con la mirada y vi que estaba del otro lado de la habitación. Lo había visto todo y estaba acercándose deprisa.

–¿Te vio en la foto? –preguntó.

Asentí.

–Creo que todo el mundo me vio. ¿Me acompañas a hablar con él? ¿Se lo explicas?

Asintió y corrimos hacia el estacionamiento, donde vimos a Zoom hablando por su celular y alejándose tan rápido como podía.

–Zoom –lo llamó Cat–. Espera... –Zoom aceleró.

Corrimos tras él y lo alcanzamos.

–Vamos, Zoom –le dijo Cat–. Dale una oportunidad a Lia. Sé lo que viste en la foto pero yo estuve allí. No pasó nada. En serio.

Zoom se detuvo y se volvió hacia nosotras.

–¿Tú lo sabías? Dios, Cat... ¿Todos lo sabían? Y... ¿sabes qué? Yo también lo sabía. Sabía que algo había pasado.

–Pues te equivocas –repuso Cat–. No lo sabían todos porque no pasó nada.

–Sí, claro, y por eso hay una foto donde se ve a Michael besando a Lia. ¿Cuándo ibas a decírmelo, Lia? –preguntó Zoom, dirigiéndose a mí–. Dios, qué imbécil fui al pensar que de verdad me querías. Anda, vuelve allá, vuelve con tu novio rico.

–Ay, por Dios, Zoom –le gritó Cat–. Madura. ¡Tienes tanto rencor sobre los hombros que me asombra que puedas caminar, con muletas o sin ellas!

–Lia me dijo que en Marruecos no había pasado nada –protestó Zoom.

–Y era cierto. Michael y yo somos sólo amigos –respondí–. Te dije la verdad.

–Muy buenos amigos, a juzgar por esa foto. Y todo el mundo los vio. Siempre supe que esto pasaría algún día. Que te darías cuenta de que no soy suficiente para ti. Pero ¿cuándo ibas a decírmelo?

Por un momento, tuve ganas de lanzar una carcajada. Zoom aún estaba disfrazado de reina de las hadas, con maquillaje y todo, y se veía tan airado. Hasta que no pude evitarlo. Eché a reír. Y Cat, también.

Zoom nos miró a las dos con odio.

–Vamos, Zoom –le dijo Cat–. ¡Mírate!

Pero Zoom no rió. Ni siquiera sonrió.

–Te dejo para que te arregles con esta reina –dijo Cat, y dio media vuelta para encaminarse a la casa–. ¡Señor, qué necios son estos mortales!

Zoom empezó a cojear a toda velocidad en la dirección contraria. Corrí tras él.

–Por favor, Zoom. Vamos. Tienes que ver el lado gracioso de esto –le rogué–. ¿Qué pasó con tu sentido del humor?

–Se fue al diablo, igual que nuestra relación.

–Por favor, no seas así. Por favor…

–Siempre tuve la impresión de que me ocultabas algo, y ahora sé que estaba en lo cierto.

–De acuerdo. Michael me dio un beso. Un beso. No significó nada. No te lo dije justamente porque no significó nada y no quise que pareciera más de lo que fue.

–Pero nos prometimos decirnos la verdad aunque doliera –me recordó Zoom–. ¿Te acuerdas?

–Sí –respondí.

–De acuerdo. Entonces, si llegó la hora de la verdad, aquí va una para ti. No eres la única que tiene secretos. Conocí a alguien mientras estabas afuera.

Por un momento, sentí como si me hubiera apuñalado.

–¿Tú? ¿Dónde? ¿En el hospital?

–Sí.

–¿A quién?

–Una de las enfermeras.

–No. Lo estás inventando.

–No.

–De acuerdo. ¿Cómo se llama?

–Colette. Colette Armstrong. Y voy a verla ahora mismo –dijo Zoom, y se alejó cojeando. Al menos en ella puedo confiar. Lo observé alejarse con la esperanza de que diera media vuelta y regresara.

Pero no lo hizo.

16
Aburrida

Cat lanzó una carcajada.

–¿Colette Armstrong? –preguntó–. ¡Colette Armstrong! ¿Estás segura?

Asentí.

–Absolutamente. ¿Por qué? ¿La conoces?

–Claro –dijo Cat–. Vive cerca de mi casa.

–Y ¿es una enfermera súper atractiva?

Cat echó a reír otra vez.

–Eh... no exactamente. Tendrá unos cincuenta años. Muy gorda. Tiene un poco de bigote y piernas peludas; esto lo sé porque anda en bicicleta (o, al menos, lo intenta) y todo el mundo puede verle las pantorrillas. Ah… además es casada y tiene cinco hijos.

–Ah, ya sé quién es –dijo Becca–. ¿Una señora de cabello gris con rulos?

Cat asintió.

Becca también echó a reír.

–Ah, entonces creo que no tienes por qué preocuparte por la competencia –me dijo.

–Y ¿por qué la mencionaría Zoom? –pregunté.

–Demencia temporal. Por la furia del momento –explicó Cat–. Estaba dolido y quiso castigarte. Aunque algo de cierto hay. Es verdad que la ve con regularidad pues ella es la enfermera que hace visitas a domicilio, de modo que seguramente ha estado cambiándole las vendas y esas cosas.

–Voy a matarlo –dije. Y entonces yo también empecé a verle el lado gracioso–. Eso haré. Voy a matarlo.

Esa noche, cuando todos los invitados se marcharon después de la fiesta, fui a mi computadora y le escribí un e-mail a Zoom.

Queridísimo Zoom:

Gracias por contarme sobre tu nueva chica, Colette. Espero que sean muy felices juntos. Y espero que a su esposo y a sus cinco hijos no les importe que tengan un romance delante de sus narices.

Lamento mucho no haberte contado que Michael me dio un beso en Marruecos. Fue una tontería de mi parte, especialmente porque no significó nada. No quise contártelo porque no quería que fuera un problema, pero ahora lo es y ojalá te hubiera contado la verdad desde el comienzo. Es una verdadera lección para mí, aprender a no guardarme las cosas. Lo hice por temor a lastimarte y acabé por herirte más, y por eso te pido perdón.

Por favor, ¿podemos empezar de nuevo? Tú eres el único chico con quien quiero estar. No me importa que tu familia no sea rica ni famosa. ¿Por qué habría de importarme? Son excelentes personas y eso es lo importante. Y creo que tú eres excepcional.

Espero verte muy, pero muy pronto.

Tuya,

Li@ XXXXX

Lo envié y me fui a dormir con la esperanza de que él lo viera a primera hora de la mañana y pudiéramos volver a la normalidad lo antes posible. Estaba tan cansada después de todos los altibajos del día que me dormí apenas apoyé la cabeza en la almohada, e incluso seguí durmiendo después de que sonó el despertador. Apenas desperté, fui directamente a la computadora para ver si había algún mensaje.

Había uno.

Querida Li@:

Yo también lamento lo de anoche. Fue un día muy raro. Mira, como ya sabes, estas dos semanas tendré mis exámenes finales y no iré mucho a la escuela, salvo para los exámenes, de modo que probablemente no nos veremos mucho. Quiero que me vaya bien en los finales, así que... Espero que entiendas, pero quisiera tomarme un tiempo para concentrarme en el estudio. Por eso, quizá, tampoco hablaremos por teléfono. Anoche me puse muy mal y, cuando me siento así, no puedo pensar bien, y necesito hacerlo en estas dos semanas si quiero aprobar.

Y luego, bueno, veamos cómo sigue el verano.

Espero que entiendas.

Adiós por ahora,

Zoom

Quedé boquiabierta. Ni siquiera se había despedido con un "cariños, Zoom". Y nada de besos. Cuando empezamos a salir, me mandaba miles de XXXs.

Rápidamente, apreté "Responder" y escribí:

Entiendo. Buena suerte en los exámenes. Li@ X

Pero no entendía. Sabía que Zoom tomaba el estudio en serio pero, como todo lo demás en su vida, solía ingeniárselas para que fuera divertido; por ejemplo, se llevaba los libros a algún sitio espectacular de la península y, mientras él repasaba, yo hacía mis tareas o leía. O venía a casa y se tendía a estudiar en mi cama, y luego yo le hacía preguntas y, si las respondía bien, le daba caramelos. O como la otra noche, que todos juntos miramos *Sueño de una noche de verano* y él nos habló de la trama y de los personajes.

Pero sabía que no había más que decir. Yo le había pedido perdón. Había tratado de explicarle. Tenía que respetar su pedido y no había nada que pudiera hacer hasta que terminaran los exámenes.

La semana siguiente, la vida siguió como siempre. Iba a la escuela. Estaba en casa. Hacía las tareas para la escuela. Miraba televisión. Me bañaba. Dormía. Me aburría. Y echaba muchísimo de menos a Zoom.

Veía a Cat y Becca en la escuela y, de vez en cuando, veíamos a los chicos del undécimo año entrando o saliendo del salón donde tenían los exámenes.

–Hola, Mac. ¿Cómo te está yendo? –le preguntó Cat el viernes por la mañana, cuando nos encontramos con él mientras iba por el pasillo hacia el salón.

Mac se encogió de hombros.

–Es difícil saberlo. En algunos, mejor que en otros.

–Eh... ¿has visto a Zoom? –le pregunté.

–Sí.

–¿Cómo está?

–Bien. Cada día se moviliza mejor. Me dijo que ustedes se estaban tomando un tiempo.

–Sí. Pero... ¿te dijo algo de cómo se siente ahora? Me pidió que no lo llamara...

Mac trasladó su peso de un pie a otro, incómodo, y supe que lo había puesto en una situación embarazosa.

–No mucho –respondió–. Sólo que necesita tener la mente despejada hasta... bueno, hasta que pase todo esto...

–Sí, pero ¿y después?

Mac se encogió de hombros.

–Lo que ella quiere saber es si va a dejarla –explicó Becca–. Vamos, seguro que tú lo sabes.

Mac lanzó un profundo suspiro.

–Mira. Sé que no es asunto mío, pero se le ha metido en esa estúpida cabezota que no es suficientemente bueno para ti. Que no te merece y que algún día vas a darte cuenta, entonces prefiere terminarlo antes de llegar a eso.

–Imbécil –respondí.

–Gracias –dijo Mac–. Sólo trataba de ayudar.

–Tú no. Él.

–Ah. Bueno.

–Entonces, ¿qué crees que debo hacer?

–Tiene el último examen en una semana. Si de verdad te importa Zoom, haz algo el fin de semana siguiente, no antes. Para entonces habrá terminado con todo esto y ya no tendrá excusas para seguir evitándote, y podrás ir a verlo. A hablar con él.

–Eso hará –dijo Becca–. Y suerte con el resto de tus exámenes.

–Gracias –dijo Mac–. Mejor me voy.

–Bueno, ¿qué vas a hacer? –me preguntó Cat mientras nos encaminábamos a nuestra aula y Mac se dirigía al salón de exámenes.

–Yo creo que deberías ir a verlo y darle una buena tunda hasta que lo hagas entrar en razón –opinó Becca.

–¿Qué? ¿Pegarle a un chico que tiene una pierna rota?

–Sí. Bueno, yo misma podría pegarle, por estúpido. Si no se cuida, va a perderte.

–O yo, a él.

–Ya sé lo que deberías hacer –intervino Cat.

–¿Qué?

–Haz algo a la Zoom.

–¿A la Zoom?

–Sí –dijo Cat–. No vayas y trates de razonar con él. Haz algo espectacular... ya sabes... a la Zoom.

Asentí. Sabía exactamente a qué se refería con "hacer algo a la Zoom". La última vez que tuvimos una pelea, en lugar de venir a casa e intentar resolver las cosas, Zoom decoró el jardín de su casa con luces de noche, convenció a Cat, Becca y Mac de que se vistieran como empleados de cine y me invitó a una proyección privada de una de mis películas preferidas. Y la primera vez que nos besamos, lo planeó hasta el último detalle: el lugar, la iluminación, todo. En lugar de hacerlo en una esquina o en la entrada de una casa, llevó la mochila llena de velas hasta una capilla ubicada al borde de la península al caer la noche e iluminó el lugar con la luz de las velas. Fue muy romántico.

Una vez me explicó que ésa era su idea de la vida. Que vamos al cine a ver películas y todo eso, pero a menudo no nos damos cuenta de que en realidad estamos en una película propia y que nosotros elegimos qué papel representamos: el de héroe o el de víctima. Nosotros creamos el guión y nuestro propio diálogo. Hacemos el "casting": elegimos a nuestros amigos, a los protagonistas, y también los lugares donde transcurrirá nuestra película. Hasta cierto punto, añadió. Podremos elegir más cuando terminemos la escuela. Pero él decía que quería vivir su vida como si fuera el director de su propia película y que quería hacerla lo mejor posible. Por eso la escena del beso. Quería que fuera memorable. Y por eso el jardín iluminado como en un cuento de hadas después de nuestra pelea. Eso también fue memorable. Eso era hacer cosas "a la Zoom".

–Entiendo a qué te refieres –respondí, y fue como si se me encendiera una lamparita en la mente–. Y creo que sé exactamente lo que podríamos hacer.

–¿Qué? –preguntó Becca.

–Zoom se perdió el viaje a Marruecos, ¿sí? Bueno. Pues vamos a traerle a Marruecos aquí.

–Excelente idea –dijo Cat, y luego me miró, confundida–. Eh... pero ¿cómo, exactamente?

Había bastante que planear y tenía que hacerlo rápido porque apenas quedaba una semana.

Primero llamé a Ollie y le pedí que me enviara el CD de música marroquí que había comprado en Marrakech.

Luego fui a Plymouth con Cat y Becca y compré un DVD llamado *Aprenda danza árabe* y pasé horas practicando en todas partes: en el baño, mientras desayunaba, en mi cuarto.

Papá accedió a instalar una tienda en la playa privada de nuestra propiedad. De hecho, él y mamá se portaron de maravilla y se entusiasmaron mucho con la idea. Mamá llamó enseguida a su amiga Daisy y le pidió que nos enviara disfraces marroquíes para todos. Luego se pasaron todo el sábado en la playa, ayudándonos con los preparativos. Papá y Mac armaron la tienda y luego mamá y Meena la adornaron con almohadones, lámparas y alfombras tomadas de distintas partes de la casa. Cuando terminaron, quedó absolutamente alucinante. Igual que las tiendas de Fantasía. Papá encendió una fogata, lista para cuando llegara Zoom, y Meena cocinó unos maravillosos platos marroquíes: tagine de cordero con verduras asadas y cuscús. Y cuando mamá encendió algunos de los sahumerios de canela que había comprado en el mercado de Marrakech, me sentí transportada allá otra vez.

El papá de Zoom estaba al tanto del secreto, porque necesitábamos que alguien trajera a Zoom lo más cerca posible de la playa.

–Esto le va a encantar –dijo el Sr. Squires cuando hablamos por teléfono–. Necesita que le levanten un poco el ánimo. Desde que ustedes dos dejaron de verse, anda con un humor de perros. Cuenta conmigo. Lo llevaré a las siete en punto.

La escena estaba lista. Una playa vacía con una tienda vacía.

Se veía muy sereno. El tiempo estaba espléndido. El aire estaba cargado de aroma a especias. El tagine se cocía suavemente al fuego. Mamá, Cat, Becca y yo nos vestimos con ropas tradicionales marroquíes, y papá y Mac, como bereberes.

A la distancia, vimos la camioneta del Sr. Squires que avanzaba hacia la playa.

–Escóndanse todos –dijo papá.

–No importa –respondí–. Le dije al papá de Zoom que le tapara los ojos. Unos minutos más tarde, vimos al Sr. Squires conduciendo a Zoom por el sendero angosto hasta la playa. Nos vio y nos hizo una seña con el pulgar levantado.

Le hice una seña a Mac, que pulsó una tecla en el reproductor de CDs y el aire se llenó de música marroquí.

El Sr. Squires llevó a Zoom hasta la entrada de la tienda y luego adentro, donde al fin le quitó la venda de los ojos. Zoom olfateó el aire y miró a su alrededor.

Les hice una seña a todos y fuimos hasta la entrada de la tienda, donde hicimos una gran reverencia.

–Mis saludos, Amo –dije–. Y bienvenido a Marruecos.

En la cara de Zoom se formó la más amplia sonrisa.

–Os ruego tomar asiento, mi Amo –dijo Mac con una reverencia, y el padre de Zoom ayudó a su hijo a acomodarse entre los almohadones. Un momento después, apareció Meena con una bandeja donde traía un vaso con jugo de naranja recién exprimido y unos deliciosos bocadillos marroquíes con queso de cabra y aceitunas.

Y entonces empezó el espectáculo. Primero fue papá con su acto de malabarismo... con pelotas de tenis. No lo hacía muy bien y se le caían a cada rato, pero Zoom parecía disfrutarlo de todos modos.

Luego fue Mac, que hizo algunos trucos de magia con naipes.

Después Becca, que cantó una canción muy extraña que sonaba como si estuvieran estrangulándola, y Zoom se puso los dedos en los oídos y le rogó que se detuviera.

Siguió la actuación de Cat, que se esforzó por hacer algunas acrobacias interesantes, pero se cayó al intentar una parada de manos.

A esa altura, Zoom parecía estar pasándolo mejor que nunca, y reía a más no poder.

Rápidamente, fui detrás de la tienda y me puse mi atuendo de bailarina árabe y mi velo.

Al cabo de unos minutos, Mac asomó la cabeza detrás de la tienda.

–¿Lista? Todo el mundo está en la tienda con Zoom.

Asentí. Desapareció y al rato volvió a empezar la música.

Respiré hondo y fui hasta el frente, donde empecé a bailar. Al principio, no me atrevía a mirar a nadie. Pero luego, a medida que la música crecía en intensidad, me compenetré más. Olvídate de que tienes público, pensé. Sólo baila. Y me sentía genial. Giré y, frente a mí, estaba el océano. El sol se ponía en la distancia, iluminando el cielo con trazos rosas, rojos y naranjas. A mi derecha, crujía el fuego; la arena estaba tibia bajo mis pies y, por un momento, no me sentí como Lia Axford. Hija de Zac Axford. Esa chica aburrida. Me sentí parte de todo lo que me rodeaba, bailando en un momento eterno. Me movía al compás de la música y sentía que podía estar en cualquier parte del mundo.

Cuando la música se fue desvaneciendo, miré hacia dentro de la tienda.

Zoom tenía los ojos como si fueran a salírsele de la cara. Mamá tenía una gran sonrisa tonta y papá, con una enorme sonrisa, empezó a aplaudir.

Se puso de pie e hizo una seña a los demás.

–Vamos, dejémoslos a solas un rato. En la casa tengo algunos tragos para ustedes; podemos volver más tarde. Cat y Becca se levantaron y siguieron a papá; luego Cat se volvió y me hizo una seña con el pulgar levantado.

Cuando se fueron, entré a la tienda y me senté a los pies de Zoom.

–Oh, mi Señor Squires, jeque de la Playa de Barton Hall y amo de toda la península de Rame. Os lo ruego. Apiadaos de la pobre alma perdida de Lia Axford. Si bien es una muchacha común y corriente de origen humilde, su corazón es sincero y ha aprendido bien la lección. Ha comprendido que es importante decir la verdad, pase lo que pase.

Zoom se reclinó sobre los almohadones.

–Hhhmm. ¿En serio? Dile a esa muchacha que lo pensaré. Pero es probable que tenga que rogarme un poco más.

–¿Un poco más? ¡Ah! Bueno. ¿Qué desea mi amo?

–Él desea... oh, por Dios, ven aquí, Lia –dijo Zoom, extendiendo su brazo sano hacia mí.

Fui y me acurruqué contra él en nuestra improvisada tienda marroquí y, juntos, contemplamos el océano. Mientras la luz del fuego brillaba más y más contra el cielo que iba oscureciéndose, pensé que las cosas no podían estar mejor. No necesitaba estar en un hotel cinco estrellas en algún lugar exótico y lejano. Aquí mismo tenía todo lo que necesitaba. Mientras Zoom y yo estuviéramos juntos, cualquier lugar estaba bien para mí.

Sobre Cathy Hopkins

Cathy Hopkins vive en el norte de Londres con su apuesto esposo y tres gatos. Pasa la mayor parte del tiempo encerrada en un cobertizo al fondo del jardín, simulando escribir libros, pero en realidad lo que hace es escuchar música, bailar a lo hippie y charlar con sus amigos por correo electrónico.

De vez en cuando, la acompaña Molly, la gata que se cree correctora de textos y le gusta caminar sobre el teclado, corrigiendo y borrando las palabras que no le agradan.

Los demás gatos tienen otras ocupaciones.

A Barny le gusta tenderse de espaldas sobre la hierba, a contemplar las nubes y crear poesía. (Lamentablemente, no ha publicado nada, pues ha sido difícil encontrar alguien que traduzca su lengua gatuna, pero él y Cathy no pierden las esperanzas.)

A Maisie, la tercera gata, le preocupaba que Cathy hubiera olvidado cómo es ser adolescente, de modo que se esfuerza por recordárselo. Y lo hace muy bien. No presta atención a nadie y sólo viene a comer, dormir, y cada tanto emite un cansino "Miwhhf" (que significa "qué me importa" en lengua gatuna).

Además de eso, Cathy se ha inscripto en el gimnasio y pasa más tiempo del que le conviene inventando excusas para no tener que ir.

Índice

¡Tu opinión es importante!

Escríbenos un e-mail a **miopinion@libroregalo.com** con el título de este libro en el "Asunto".